图书在版编目(CIP)数据

100 首水歌曲/蔡正林主编. —南京:河海大学出版社,
2009.3

(水文化教育丛书/郑大俊,鞠平总主编)

ISBN 978-7-5630-2546-6

Ⅰ. 1… Ⅱ. 蔡… Ⅲ. 歌曲—中国—选集 Ⅳ. J642

中国版本图书馆 CIP 数据核字(2009)第 042840 号

书　　名	100 首水歌曲	
书　　号	ISBN 978-7-5630-2546-6/J·52	
责任编辑	朱婵玲	
特约编辑	陈静星　管　宁	
责任校对	苏　珊　刘书含	
装帧设计	南京千秋企划广告有限公司	
出版发行	河海大学出版社	
经　　销	江苏省新华发行集团有限公司	
地　　址	南京市西康路 1 号(邮编:210098)	
电　　话	(025)83737852(行政部)	
	(025)83722833(发行部)	
	(025)83786934(编辑部)	
排　　版	南京理工大学印刷厂	
印　　刷	南京工大印务有限公司	
开　　本	750 毫米×1020 毫米　1/16	
印　　张	16.5	
字　　数	279 千字	
版　　次	2009 年 7 月第 1 版	
印　　次	2009 年 7 月第 1 次印刷	
定　　价	680.00 元/套(共 10 册)	

(河海大学出版社图书凡印装错误可向本社调换)

水文化

教 育 丛 书

总策划

张长宽

总主审

林萍华

总主编

郑大俊　鞠　平

副总主编

吴胜兴　王如高　李乃富

主编 蔡正林

副主编 刘兴平 沈俐

100首/水歌曲

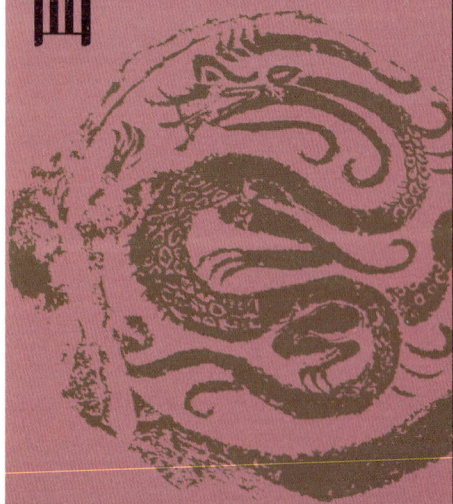

弘扬先进水文化，促进水利事业又好又快发展

——《水文化教育丛书》序言

　　文化是民族的血脉和灵魂，是国家发展、民族振兴的重要支撑。一个民族的文化，凝聚着这个民族对世界和生命的历史认知和现实感受，积淀着这个民族最深层的精神追求和行为准则。党的十七大把文化建设摆在更加突出的位置，对兴起社会主义文化建设新高潮、推动社会主义文化大发展大繁荣作出了全面部署。先进水文化是中华优秀文化的重要组成部分。弘扬和建设先进水文化，为水利事业又好又快发展提供文化支撑，是摆在我们面前的一个重大而紧迫的课题。

　　我国是一个拥有悠久治水历史的国家，在中华民族五千年文明史中，我们的祖先创造了光辉灿烂的水文化。这些文化，有的以物质形态存在，如都江堰、大运河、坎儿井等举世闻名的水利工程，以及水利工程技术、治水器械工具等物质产品；有的以制度形态存在，如以水为载体的风俗习惯、宗教仪式、社会关系和社会组织、法律法规；有的以精神形态存在，如对水的认识、有关水的价值观念、与水相关的文化心理和文化特征等。这些璀璨的水文化，已经深深熔铸在中华民族的血脉之中，成为民族生存发展和国家繁荣振兴取之不尽、用之不竭的力量源泉。

新中国成立之后，党和国家领导人民进行了规模空前的水利建设，取得了辉煌的成就。特别是 1998 年特大洪水以后，水利部党组认真贯彻落实科学发展观，按照全面建设小康社会和构建社会主义和谐社会的要求，根据中央水利工作方针，认真总结经验教训，尊重基层和群众的实践创造，与时俱进地提出了可持续发展的治水思路，进行了一系列卓有成效的探索，开启了水利实践的新征程，为水文化建设注入了新的时代内涵。人与自然和谐的治水理念、以人为本的治水宗旨，扬弃了我国传统的治水文化观念，体现了科学发展观的要求；一大批水利水电工程的建设，有力地保障了经济社会发展，激发了民族自豪感，为当代和后人积累了宝贵的物质和精神财富；水利科技创新的突破，水利信息化的推进，显著提升了我国水利的科技含量和现代化水平，武装和改造了传统水利；节水防污型社会建设的深入开展，依法治水的不断推进，促进了传统治水方式和水管理制度的深刻变革；"献身、负责、求实"的水利行业精神，"万众一心、众志成城，不怕困难、顽强拼搏，坚韧不拔、敢于胜利"的伟大抗洪精神，体现了民族精神的精华，丰富了时代精神和社会主义核心价值体系的内涵。这是水文化传统与新时期水利实践相结合的丰硕成果，必将永远激励着我们不断奋斗前进。

当前和今后一个时期，是全面建设小康社会的关键时期，也是传统水利向现代水利转变的关键时期。我们要把科学发展观的根本要求与可持续发展的治水思路的探索实践结合起来，把全面建设小康社会的宏伟蓝图与水利发展的长远目标结合起来，把人民群众过上更好生活的新期待与水利工作的着力点结合起来，进一步增强水利对经济社会发展和改善民生的保障能力，不断创造无愧于时代要求的先进水文化，推动社会主义文化大发展大繁荣。要深入挖掘和弘扬传统水文化的丰富内涵，努力在继承优秀水文化传统的基础上铸造先进水文化；要善于从当今时代波澜壮阔的水利实践中汲取新鲜养分，努力展现先进水文化鲜明的时代特征和强烈的时代气息，更好地适应水利发展与改革的需要；要把培育和弘扬水利行业精神作为建设先进水文化的重要任务，努力把先进水文化更好地融入社会主义核心价值体系之中，激发广大水利干部职工投身水利实践的热情和干劲。

弘扬和建设先进水文化，要坚持研究与教育相结合、普及与提高相结合、继承与创新相结合，向全行业、全社会展示水文化研究成果，普及水文化基本知识，开展水文化宣传教育，不断推动水文化建设在服务水利发展与改革中取得新的实效。我们很高兴地看到，河海大学充分发挥学科优势和学术实力，组织了一批专家、学者，从水利名人、江河湖泊、咏水诗文、城市与水、水工程、水灾害、水用具、水景观、水传说、水歌曲等诸多方面，精心梳理、深入挖掘、全面概括千百年来人类水文化的积淀，编写了《水文化教育丛书》。这套丛书系统地介绍了优秀的传统水文化，宣传了可持续发展的治水思路，展示了水利发展与改革成就，彰显了水利精神，是水利宣传的良好平台、文化传播的优秀载体。希望以《水文化教育丛书》的出版为契机，把水文化的研究和建设推向一个新的阶段，拓宽水利视野，更新治水理念，弘扬水利精神，推进传统水利向现代水利转变。同时也希望通过广泛而深入的水文化教育，呼唤全社会进一步关注水、珍惜水、爱护水，关心水利、支持水利、参与水利，共同谱写水利发展与改革的新篇章。

陈雷

二〇〇七年三月廿八日

前　言

　　人类对水的歌唱，亘古以来就没有停歇。《西洲曲》里称道"莲子清如水"。孔子站在江边看见大江日夜奔流，发出了一声深深的叹息："子在川上曰，逝者如斯夫，不舍昼夜。"李白对水有着深邃的体验："抽刀断水水更流"，这便是水的神奇之处。辛弃疾直抒"楚天千里清秋，水随天去秋无际"，凸显了人在自然界的渺小。而曹雪芹在《红楼梦》中的一句"女人是水做的"，更是鞭辟入里。

　　有人说，历史是歌的书写，歌是历史的凝结。人类诞生以来，每个时期都产生了许多脍炙人口、影响深远的以"水"为代表性的歌曲。其实，人类对水的歌唱，何尝不是人类对自身的感叹。每一首歌都浓缩着不同历史时期的时代精神，每个旋律都代表着不同人民的心声。这些歌优美动人，词意隽永，蕴含了哲理，融化了爱情，迸发了力量。

　　河，孕育文明；海，凝聚智慧。人们歌唱水，也撷取水的精华，以陶冶情操，洗濯灵魂，追求升华。大禹为了治水三过家门而不入，这是一种献身精神；李冰父子在都江堰，"深淘滩、低作堰"，造就了美丽富饶的成都平原，这是一种求实精神；林则徐以一句"苟利国家生死以，岂因祸福避趋之"，遍走南疆，发明了著名的坎儿井，这是一种负责精神。这精神激励着一代代中华儿女，不断拼搏进取，创造奇迹，"高峡出平湖"，"天堑变通途"，这是何等的豪迈。然，精神的传承需要一代又一代的华夏儿女，当代大学生，是时代的骄子，国家的希望，肩负着时代赋予的重任，应该具有更高的道德修养与精神境界，用"水"之精神去历练其高尚品格，培养其高雅气质，是一条具有鲜明特色的途径。

　　我们从古今中外水歌曲中精心选出 100 首，编成本书。希望能以一曲曲"水"之韵律，传递对往事的追忆情感；能够使当代大学生与岁月同行，直面历史，回答从历史不同时空里发出的呼唤和呐喊，唤起其强烈的历史责任感与使命感，从而更加珍惜当下所拥有的一切，热爱生活，读懂生活，感谢所有生活的馈赠，保持昂扬向上的生活态度与精神状态，不断地奋发图强，创造美好的未来。但古往今来，描写水的歌曲非常之多，国内的、国外的，通俗的、流行的，囿于 100 的数字，我们不得不有所割爱。

每篇歌曲在收录时，我们曾想把一些反映本歌曲创作背景的资料辑录进来，但由于所掌握资料有限，也未能做到。

蔡正林、刘兴平、沈俐、邰静、倪斌彬参与了本书的编写工作；戴司南、孙佳佳、缪明明、袁善水、刘丹参与了本书的资料收集工作。

对我们来说，这次编写工作是一次新的尝试，也是一次受教育、长知识的过程，我们也享受到了参与其中的乐趣。

希望本书能带给大学生们美的享受，也希望大学生们在歌唱"水"中得到感悟和启迪。同时，真诚地欢迎来自专家、学者和大学生的批评指正。

编　者
2008 年春

目　录

陆 蔚蓝色梦幻

柒 斑斓的色彩

后记

壹

灰白色追忆

1. 观 沧 海

1=F 4/4

中速 稍慢

曹 操 词
魏 群 曲

东临 碣石，

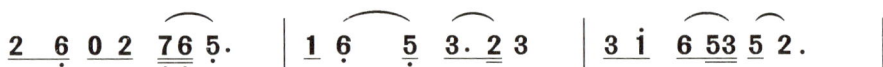

以观 沧海。 水何 澹澹， 山岛竦 峙。

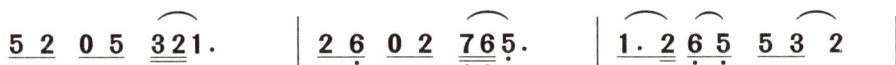

树木 丛生， 百草 丰茂。 秋 风 萧瑟，

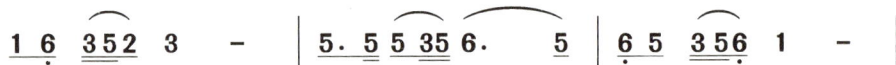

洪波涌 起。 日 月 之 行， 若出 其 中；

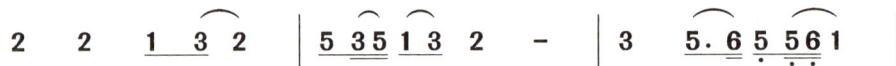

星 汉 灿烂， 若出 其 里。 幸 甚 至哉，

歌以 咏 志。 幸 甚 至哉， 歌以 咏 志。

2. 将 进 酒

李 白 词
阎 勇 曲

1=C 2/4

```
i. i i | i. 7 6 7 | i 2 i | i. 7 6 7 | i 2 5 |
君 不见   黄 河之水   天 上 来，   奔 流到海   不复 回。

6. 6 6 | 6. 5 4 5 | 6 i 7 | 6 5 4 3 | 2 3 5 4 |
君 不见   高 堂明镜   悲 白发，   朝 如青丝   暮 成

3 — | 3 — | 5 5. | 5 3 | 5 6 |
雪。                人生     得 意   须 尽

6 — | 6 6. | 6 5 | i 2 | 2 — |
欢，     莫使     金 樽   空 对   月。

3. 2 i 2 | 3 — | 2 2 | i — | i. 7 6 7 |
天 生我 材     必 有   用，   千 金散尽

i 2 | 5 — | 5 — | 6 6 5 | i i |
还 复   来。     烹 羊 宰   牛

6 5 6 | 3 — | 6. 6 6 5 | 6 i | 2 — |
且 为 乐，     会 须一 饮   三 百   杯。

2 — | 3 3 3 | 2 2 2 | i i 6 | 2 i 2 5 |
    岑 夫子，  丹丘 生，   将 进酒，杯莫 停。

6 6 5 | i 5 6 | 3 — | 3 — | 3 5 6 i |
与 君   歌 一 曲，            请 君为我
```

3

倾耳听。　　　　钟鼓馔玉

不足贵，　但愿长醉不复醒。

　　古来圣贤皆寂寞，

惟有饮者留其名。　陈王昔

时宴平乐，斗酒十千恣欢

谑。　　主人何为言少

钱，　径须沽取对君酌。

五花马，千金裘，呼儿将出换美酒，与尔

同销　　万古愁。

4

3. 望 洞 庭

刘禹锡 词
阎 勇 曲

1 = G $\frac{3}{4}$

| 5 3 1 | 3 1 5̣ | 6̣ 7̣ 6̣ | 5̣ - - |
| 湖 光　秋 月　两 相　和， |

| 5̣ 1 3 | 1 3 5 | 4 3 1 | 2 - - |
| 潭 面　无 风　镜 未　磨。 |

| 3 5 3 | 1 3 1 | 7̣ 6̣ 5̣ | 6̣ - - |
| 遥 望　洞 庭　山 水　翠， |

| 5̣ 1 3 | 5 3 1 | 5̣ 7̣ 2 | 1 - - |
| 白 银　盘 里　一 青　螺。 |

4. 我住长江头

李之仪　词

黎青主　曲

1=G 6/8

中速

```
2·  3· | 5·  3· | 6· ⌒3· |(6· 3·) | 2·  3· | 5·  3· |
我   住    长    江   头,              君   住    长   江

7· ⌒6· |(7· 6·) | 1·  1· | 7· ⌒6· | 3·  1· | 6· ⌒6· |
尾,              日   日    思   君    不   见   君,

2·  3· | #4· 5· | 6· ⌒2· |(6· 2·) | 5·  5· | 5·  6· |
共   饮    长    江   水。              此   水    几   时

6· ⌒5· |(6· 5·) | 5·  5· | 6·  7· | 5· ⌒5· |(2· 1·) |
休?              此   恨    何   时    已?

i·  i· | 7·  5· | 6·  3· | 3· ⌒5· | 2 3 1· | 7· 6· 7 |
只   愿    君   心    似   我    心,       定 不 负    相   思

5· ⌒5· |(5· 5·) | 3·  3· | #2· 6· | 6· ⌒3· |(2· 1·) |
意。              此   水    几   时    休?

5·  5· | 6·  7· | 5·  0· |(6· 5·) | 6·  6· | 7·  6· |
此   恨    何   时    已?              只   愿    君   心

2·  5· | 6· ⌒7· | i i 7· | 7·  6· | 5·  5· | 5·  4· |
似   我    心,       定 不 负    相   思    意。
```

渐慢

原速

3. 3. |♯2. 6. | 6. 3. | (2. 1.) | 5. 5. | 6. 7. |

此　水　几　时　休?　　　　　　此　恨　何　时

5. 0. | (6. 5.) | i. i. | 7. 5. | 6. 3. |

已?　　　　　只　愿　君　心　似　我

渐慢

3. 5. | 6 7 6. | 2. i. | i. i. | i. i. |

心,　　定　不　负　相　思　意。

7

5. 滚滚长江东逝水

电视剧《三国演义》片头曲

杨 慎 词
谷建芬 曲

1=♭D 4/4

滚滚长江东逝水，　　　　浪花淘尽英

雄。　　　　是非成败转头空；

青山依旧在，　几度夕阳红。

白发渔樵江渚上，

惯看秋月春风。　　　一壶浊酒

喜相逢，　古今多少事，都付笑

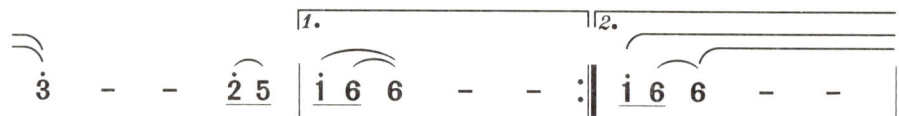

谈中。　　　中

8

6. 大禹治水

1=C $\frac{4}{4}$ $\frac{3}{4}$ $\frac{2}{4}$

深情、有气势地

三丫 海雄 词
赵季平 曲

渐强

0 2 $\dot{2}$ $\dot{2}$ 6 | 6. $\dot{7}\dot{6}$ | $\dot{5}$ - - - | 4. 4 4 2 5 | $\dot{1}$ 3 |

你可知道 哎，　　　　　黄 河之水天　上
你可知道 哎，　　　　　寸 草之心天　地

$\dot{2}$. 6 5 4 - | 4 0 0 0 | 0 2 $\dot{2}$ $\dot{2}$ 6 | 6. $\dot{7}\dot{6}$ |

来。　　　　　　你可知道 哎，
情。　　　　　　你可知道 哎，

5 - - - | 4. 4 4 5 6. $\dot{1}$ 3 2 | $\dot{1}$ - $\dot{1}$ 5 3 2 |

滔 滔奔流谁 主　宰。
沧 海一粟都 是　爱。

快一倍

5 $\dot{2}$ 7 6 - | (6 - - - | 6 - - - |

2 6 1 2 $3^\flat3$ 2 1 | 2 6 1 2 $3^\flat3$ 2 1 | 5 2 4 5 $6^\flat6$ 5 4 |

渐强

5 2 4 5 $6^\flat6$ 5 4) | $\dot{5}$ - - $\dot{5}$ $\dot{2}$ $\dot{2}$ | 3 2 $\dot{1}$ $\dot{2}$ 6 2 |

谁　　　领着 百 川 归　大海？
谁　　　爱惜 自 然 如　爱己？

($\dot{1}$. $\dot{2}$ 6 1 $\dot{2}$ 6.) | $\dot{5}$ - - $\dot{5}$ $\dot{2}$ $\dot{2}$ | 3 2 $\dot{1}$. $\dot{2}$ 5 6 |

谁　　　把那 山 水 巧　安排？
谁　　　把那 天 人 合一悟 明白？

9

歌曲

水文化教育丛书

$> \quad > \; > \; > \quad > \; >$

$(\underline{1}.\underline{2}\,\underline{6}\,\underline{2}\,\underline{5}\,\underline{6}.) \mid 5. \; \underline{2}\,5 \quad \underline{6}\,\underline{5} \mid 5. \; \underline{2}\,6 \quad \underline{7}\,5 \mid$

（合）一　心护生灵，两　脚断山脉，
（合）闲　时多栽树，公　德减天灾，

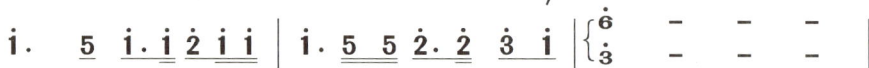

$\dot{1}. \; 5 \; \dot{1}.\dot{1}\dot{2}\dot{1}\dot{1} \mid \dot{1}.\underline{5}\,5 \; \underline{5}\dot{2}.\dot{2} \; \underline{3}\dot{1} \mid \begin{smallmatrix}\dot{6}\\3\end{smallmatrix} \; - \; - \; - \mid$

三　过家门而不入，四千年痴心不改。
洪　水化作甘甜露，家园从此好气派。

$\begin{smallmatrix}\dot{3}\\6\end{smallmatrix} \; - \; \begin{smallmatrix}5\\7\end{smallmatrix} \; - \;$

慢一倍

$6 \; \underline{7}\,\underline{6}\,5 \; - \; - \mid \dot{6}\dot{1} \; \underline{3.\dot{2}\dot{1}} \; \dot{1} \; - \mid$

（独）大　禹，　　大　禹，
（独）大　禹，　　大　禹，

$\dot{2}.\dot{2}\dot{2}\dot{2} \; 4\,4 \; \underline{2}\,\underline{2} \mid 5\,5 \; \dot{2} \; 6 \; 6 \mid \dot{6} \; - \; - \; - \mid$

接过你的烈酒，我们　对饮　开怀。
听着你的话语　怎能不无限　感慨。

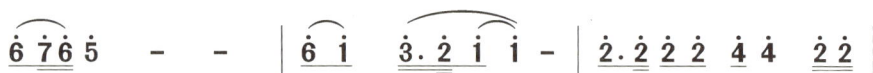

$\dot{6}\,\underline{7}\,\underline{6}\,5 \; - \; - \mid \dot{6}\dot{1} \; 3.\dot{2}\dot{1} \; \dot{1} \; - \mid \dot{2}.\dot{2}\dot{2}\dot{2} \; 4\,4 \; \underline{2}\,\underline{2} \mid$

大　禹，　　大　禹，　　千年热泪让他尽情
大　禹，　　大　禹，　　世界本由人类

$5. \; \underline{2}\,6 \; 6. \mid 6. \; \dot{1}\,7 \; 6 \; \dot{1}\,7 \; 6 \; \dot{1}\,7 \; 6.\dot{1}\,4\,3 \mid$

流　出来。　　哎　哎　哎
来　主宰。

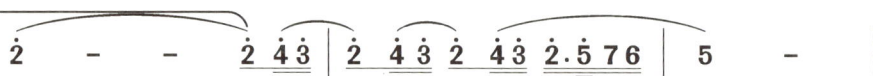

$\dot{2} \; - \; - \; \underline{2}\,4\,3 \mid \underline{2}\,4\,3\,2 \; 4\,3\,2.\underline{5}\,7\,6 \mid 5 \; - \mid$

哎　哎　哎

$(\underline{6}\ \dot{\underline{2}}\ \dot{\underline{3}}\ \underline{5}\ \underline{35}\ 6)$ | $\dot{1}$ $\underline{\dot{3}.\ \dot{5}}$ $\dot{2}$ $\dot{6}.$ | $\dot{6}$ — — — :‖

1.

流 出　来。
来 主　宰。

2.

$\dot{6}$ — — — | $\dot{6}$ — — — ‖

7. 渔 光 曲

电影《渔光曲》主题歌

安娥 词
任光 曲

1=G 4/4

```
(1  —  —  5̣ | 2  —  —  5̣ | 5  —  —  3 |
 1  —  —  0) | 1  —  —  5̣ | 2  —  —  5̣ |
```

1.云　　　　儿　飘　　　　在
2.东　　　方　现　　　　出

```
5  —  —  3 | 2  —  —  — | 3  —  —  2 |
```

海　　　　空，　　　　鱼　　　　儿
微　　　　明，　　　　星　　　　儿

```
6̣  —  —  2 | 1  —  —  6̣ | 5̣  —  —  — |
```

藏　　在　水　　　　中，
藏　　在　天　　　　空，

```
6̣  —  —  5̣ | 1  —  1  6̣ | 5̣  —  —  3 5 |
```

早　　　晨　太　阳　里　晒　　　渔
早　　　晨　渔　船　儿　返　　　回

```
6  —  —  — | 5  —  3 | 6  —  6  3 |
```

网，　　　　迎　　面　吹　过　来
程，　　　　迎　　面　吹　过　来

```
2  —  —  5 | 1  —  —  0 | (1  —  —  5̣ |
```

大　　海　风。
送　　海　潮　风。

6̣ - - 5̣ | 1 - - 6̣ | 2 - - 1 |

潮　　水　升，　浪　　花
天　　已　明，　力　　已

3 - - - | 5 - 6 3 | 2 - 2 3 |

涌，　　渔　船　儿　漂　漂
尽，　　眼　望　着　渔　村

6 - 6 3 | 5 - - - | 6̣ - - 1 |

各　西　东。　　轻　　撒
路　万　重。　　腰　　已

2 - - - | 3 - - 5 6 | 3 - - - |

网，　　紧　拉　绳，
酸，　　手　也　肿，

6 - 6 3 | 2 - 2 3 | 5 - 6 6̣ |

烟　雾　里　辛　苦　等　鱼
捕　得　了　鱼　儿　腹　内

1 - - 0 | (1 - - 5̣ | 2 - - 5̣ |

踪。
空。

5 - 6̣ 6̣ | 1 - - 0) | 1 - - 2 |

鱼　　儿
鱼　　儿

水
歌曲

水文化教育丛书

$\dot{6}$ — — $\dot{5}$ | 3 — — 2 | 3 — — — |

难　捕　　租　不　　税　满　重，
捕　得　　

5 — — 2 | 3 — — 2 | 5 — — 3 |

捕　鱼　人　儿　世　　世
又　是　东　方　太　　阳

2 — — — | $\dot{5}$ — — $\dot{6}$ | 1 — 2 $\dot{6}$ |

穷，　　爷　　爷　留　下　的
红，　　爷　　爷　留　下　的

3 — 2 5 | 3 — — — | 5 — — 5 |

破　渔　网，　　小　　心
破　渔　网，　　小　　心

6 — 5 3 | 2 — — 5 | 1 — — 0 |

再　靠　它　过　一　冬！
再　靠　它　过　一　冬！

8. 汴水流

《江山风雨情》片尾曲

朱苏进 词

许舒亚 曲

1 = D 4/4

水文化教育丛书

```
6̣ 1  1 6 2  2 | 3 - -) 3 5 | ⁵6 - - 0 6 1 |
              （女）汴水 流，          泗

0  0   0   0 | 0  0   0   0 | 0 2 3 5 6̇1 6.6 6 |
                                （男）汴 水 流哇，

5̣3 3  3  - - | 6 6 1 6 6 6  1 2 | 3 3 3 - 6 1 |
水 流，          瓜洲有 渡 没有 头哇。      情哥

6  2 3 5 6̇1 6. 66 | 6 6 1 6 6 6  1 2 | 3̇ 3̇ 3̇ - 0 |
   泗 水 流哇，     瓜洲有 渡 没有 头哇。

2̇ - 2̇. 7 7 6 6 | 5 3  3 - 0 | 0 6 6 1 6 6 6 |
哥，    亲 一口，     妹妹喂 你

0 4̇ 3̇ 2̇ 1̇ 2̇. | 0 3̇ 5 3 3 7. | 0 0 0 0 |
情妹妹，  亲 一口，

0  0   0   0 | 0 2̇ 1̇ 6 6 7 7. | 7 - 0 7 6 5 |
                盅交 杯酒哇，        交杯

0 2̇ 2̇ 4̇ 2̇ 2̇ | 0 2̇ 1̇ 6 6 3 3. | 3 - 0 2 3 5 |
哥哥喂你    盅交 杯酒哇，        交杯

5 6 6 6 - (7 1 | 2 3 3 -) 3 5 | ⁵6 - - 0 6 1 |
酒 哇。            汴水 流，          泗

5 6 6 6 - 0 | 0 0 0 0 0 | 0 0 0 0 |
酒 哇。

16
```

$\overbrace{5}\ \overbrace{3}\ 3\ -\ 0\ |\ 6\ \dot{1}\ \overbrace{7\ 6}\ 6\ 1\ 2\ |\ \overbrace{3\ 5}\ 3\ 3\ -\ -\ |$

水　流，．　　　流到瓜洲　古渡　头。

$0\quad 0\quad 0\quad 0\ |\ 0\quad 0\quad 0\quad 0\ |\ 0\quad 0\quad 0\quad 6\ \dot{1}\ |$

情妹

$0\quad 0\quad 0\quad 0\ |\ 0\quad 0\quad 0\quad 0\ |\ 0\ \overbrace{3\ 3}\ \overbrace{3\ 5\ 3\ 3}\ |$

妹妹等　你

$\dot{2}\ -\ -\ \underline{0\ 2}\ \overbrace{3}\ |\ \underline{5.\ 3}\ 3\ -\ -\ |\ 0\quad 0\quad 0\quad 0\ |$

妹，　　　慢　些　走，

$3\quad 0\quad 0\quad 0\ |\ 0\ \underline{5}\ \overbrace{3\ 6}\ 2\ \overbrace{5\ 3}\ |\ 7\ -\ -\ -\ |$

在楼外楼，等　你

$0\ \overbrace{6\ 6}\ \overbrace{\dot{1}\ \dot{2}\ 6\ 6}\ |\ 0\ \underline{5}\ \overbrace{3\ 6}\ 2\ \overbrace{5\ 3}\ |\ 7\ -\ -\ -\ |$

哥哥等　你　　在楼外楼，等　你

$7\ \overbrace{0\ \dot{2}\ 7\ 3}\ 3\ |\ \overbrace{5\ 6}\ 6\ -\ -\ |\ 6\ -\ -\ -\ |$

在楼外　楼。

$7\ \overbrace{0\ \dot{2}\ 5\ 3}\ 3\ |\ \overbrace{5\ 6}\ 6\ -\ -\ |\ 6\ -\ -\ -\ |$

在楼外　楼。

贰

朱红色回味

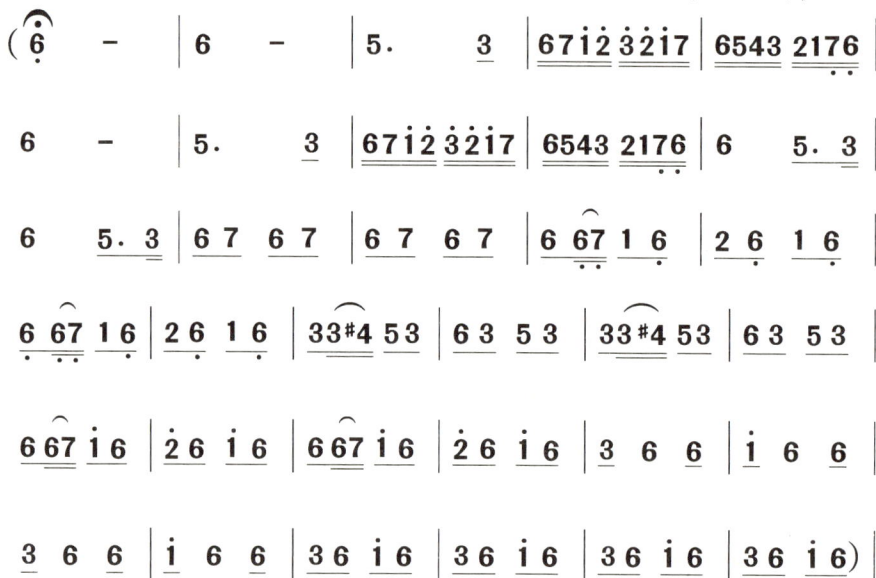

水

歌曲

水文化教育丛书.

```
 ·5 0 0 | ·3 0 0 |⌒·5 ·3 — ·3 — ⌒·3 — ·3 — ⌒·3 —  ⌒·3  ⌒⁀0⌒ |
```

```
 ·2 0 0 | ·6 0 0 | 7 — 7 — 7 — 7 — ⌒7 ⌒⁀0⌒ |
 咳        咳        咳
```

```
 ·5 0 0 | ·3 0 0 |⌒·5 ·3 — ·3 — ⌒·3 — ·3 — ⌒·3 —  ⌒·3  ⌒⁀0⌒ |
```

```
 ·2 0 0 | ·6 0 0 | 7 — 7 — 7 — 7 — ⌒7 ⌒⁀0⌒ |
```

转 **1 = F**(前 **6** = 后 **2**)

```
( 2 4  3 2 | 2 4  3 2 | 3 5  4 3 | 3 5  4 3 | 5♭7 6 5  5 7 6 5 |
```

```
5♭7 6 5  5 7 6 5 | 6 1̇ 7 6  6 1̇ 7 6 | 6 1̇ 7 6 6 1̇ 7 6 | 6 1̇  7 6 | 5 #4  3 2 |
```

```
1 3  2 1 | 7̣ 6̣  5̣ #4̣ | 3 #4 3 4  3 4 3 4 | 3 #4 3 4  3 4 3 4 )
```

```
女高      ⌒           ⌒                ⌒         ⌒
男    | 6 6 5 | 6·7 6 | 3 3 2 | 3·5 3 | 5 5 3 | 2·3 5 |
      水湍    急呀，山峭    耸啊，雄关    险哪，
女低      ⌒           ⌒                ⌒         ⌒
男    | 6 6 5 | 6·7 6 | 3 3 2 | 3·5 3 | 5 5 3 | 2·3 5 |
```

豺狼 凶啊。健儿 巧渡 金沙 江哪，

兄 弟 民族 夹道 迎啊。健儿 巧渡

金沙 江哪，兄 弟民族 夹道 迎啊。

女高　水湍 急呀，　山峭 耸啊，　雄关 险哪，

女低

男高　水湍 急 呀，山峭 耸啊，雄关 险哪，

男低

水

歌曲

渐慢

```
5·3│2 3·5│1 2 1│6̣ - │0 0│0 0│0 0│
兄 弟
```

```
3·3│2 3·2│1 2 1│6̣ - │0 0│0 0│0 0│
    民 族  夹 道  迎。
```

有力 稍慢

```
5·3│2 3·5│1 2 1│6̣ - │6 6 5│6·7 6│3 3 2│
兄 弟              安 顺  场 边 孤 舟
```

```
3·3│2 3·2│1 2 1│6̣ - │6 6 5│6·5 6│3 3 2│
```

渐快   原速

男高
```
3·5 3│5 5 3│2·3 5│3 3 5│2·1 6̣│6 6 5│
勇 啊，踩 波  踏 浪 歼 敌  兵 啊。 安 顺
```

男低
```
3·2 3│5 5 3│2·3 5│3 3 5│2·1 6̣│6 6 5│
```

女高
```
6 35 6 6│0 0│5 32 3 3│0 0│2 23 5 5│0 0│
安 顺 场 边   孤 舟 勇 啊，   踩 波 踏 浪
```

女低
```
6 35 6 6│0 0│5 32 3 3│0 0│2 23 5 5│0 0│
```

男高
```
6·7 6│3 3 2│3·5 3│5 5 3│2·3 5│3 3 5│
场 边 孤 舟  勇 啊，踩 波  踏 浪 歼 敌
```

男低
```
6·5 6│3 3 2│3·2 3│5 5 3│2·3 5│3 3 5│
```

水

歌曲

$2\ 21\ 6\ 6\ |\ 6.\ 6\ |\ 5\ 3\ |\ 2\ 3\ 5\ |\ 6\ 6\ |\ 6.\ 6\ |$

歼敌 兵啊。昼 夜 兼 程 二百 四啊，猛 打

$2\ 21\ 6\ 6\ |\ 3.\ 3\ |\ 2\ 1\ |\ 6\ 1\ 3\ |\ 2\ 2\ |\ 3.\ 3\ |$

$6\ -\ |\ 6\ 1.2\ |\ 6\ -\ |\ 6\ 5.6\ |\ 1\ -\ |$

$2.1\ 6$ 嘿 哟啰嘿 哟啰嘿

兵 啊。 $6.\ 6\ |\ 5\ 3\ |\ 2\ 3\ 5\ |\ 6\ 6\ |\ 6.\ 6\ |$

昼 夜 兼 程 二百 四啊，猛 打

$2.1\ 6\ |\ 3.\ 3\ |\ 2\ 1\ |\ 6\ 1\ 3\ |\ 2\ 2\ |\ 3.\ 3\ |$

$5\ 3\ |\ 2\ 3\ 5\ |\ 3\ 3\ |\ 5.\ 3\ |\ 2\ 2.1\ |\ 6\ 1\ 3\ |$

穷追 夺泸 定啊。铁 索 桥上 显威

$2\ 1\ |\ 6\ 1\ 5\ |\ 6\ 6\ |\ 2.\ 3\ |\ 2\ 2.1\ |\ 6\ 6\ 1\ |$

$1\ 1.2\ |\ 6\ 5.6\ |\ 1\ 6.1\ |\ 2\ -\ |\ 2\ 6.1\ |\ 2\ -\ |$

哟啰嘿 哟啰嘿 哟啰嘿 哟啰嘿

$5\ 3\ |\ 2\ 3\ 5\ |\ 3\ 3\ |\ 5.\ 3\ |\ 2\ 2.1\ |\ 6\ 1\ 3\ |$

穷追 夺泸 定啊。铁 索 桥上 显威

$2\ 1\ |\ 6\ 1\ 5\ |\ 6\ 6\ |\ 2.\ 3\ |\ 2\ 2.1\ |\ 6\ 6\ 1\ |$

26

2 2 | $5. \underline{3}$ | 2 $\overset{\frown}{3 \cdot 5}$ | 1 $\underline{2\,1}$ | $\underset{\cdot}{6}$ $\underset{\cdot}{6}$ ‖:$\{$ $\overset{.}{1}$ 6 / 6 6

风 啊，勇 士 万 代 留 英 名 啊。 嘿 啰

2 2 | $2. \underline{3}$ | 2 $\overset{\frown}{\underline{3 \cdot 2}}$ | 1 $\underline{2\,1}$ | $\underset{\cdot}{6}$ $\underset{\cdot}{6}$ ‖:$\{$ 0 $\underline{6\,6}$ / 0 $\underline{3\,3}$

嘿 啰

$\overset{.}{2}$ $\underline{6 \cdot \overset{.}{1}}$ | $\overset{.}{2}$ $\underline{6 \cdot \overset{.}{1}}$ | $\overset{.}{2}$ $\underline{6 \cdot \overset{.}{1}}$ | $\underline{\overset{.}{2}\,\overset{.}{1}}$ $\underline{6 \cdot \overset{.}{1}}$ | $\underline{\overset{.}{2}\,\overset{.}{1}}$ 6 ‖:$\overset{.}{1}$ 6

哟 啰 嘿 哟 啰 嘿 哟 啰 嘿 啰 嘿 啰 嘿 啰 嘿 嘿 啰

2 2 | $5. \underline{3}$ | 2 $\overset{\frown}{3 \cdot 5}$ | 1 $\underline{2\,1}$ | $\underset{\cdot}{6}$ $\underset{\cdot}{6}$ ‖:6 6

风 啊，勇 士 万 代 留 英 名 啊。 嘿 啰

2 2 | $2. \underline{3}$ | 2 $\overset{\frown}{\underline{3 \cdot 2}}$ | 1 $\underline{2\,1}$ | $\underset{\cdot}{6}$ $\underset{\cdot}{6}$ ‖:$\{$ 0 $\underline{6\,6}$ / 0 $\underline{3\,3}$

歌颂地

突慢　　　　　　　转 1＝C（前 5 ＝后 $\overset{.}{1}$ ）

$\overset{.}{2}$ 6 :‖ $\overset{.}{1}$ 6 | $\overset{.}{2} .$ $\overset{.}{1}$ |$\}$ 6^{V} $\underline{\overset{.}{1}\,2}$ | $\overset{.}{3} .$ $\overset{.}{3}$ | $\underline{2\,5}$ $\overset{.}{3}$ |

6 6 :‖ 6 6 | $7.$ 5 |$\}$ 嘿 铁 索 桥 上 显 威 风，

嘿 啰 嘿 啰 嘿 啰

0 $\underline{6\,6}$:‖ 6 6 | $5.$ 5 |$\}$ 6^{V} $\underline{5\,5}$ | $\overset{.}{1} .$ 7 | $\underline{6\,7}$ $\overset{.}{1}$ |

0 $\underline{3\,3}$:‖ 3 3 | $3.$ 3 |

嘿 啰

$\overset{.}{2}$ 6 :‖ $\overset{.}{1}$ 6 | $\overset{.}{2} .$ $\overset{.}{1}$ |$\}$ 6^{V} $\underline{\overset{.}{1}\,2}$ | $\overset{.}{3} .$ $\overset{.}{3}$ | $\underline{\overset{.}{2}\,5}$ $\overset{.}{3}^{V}\underline{3\,3}$ |

嘿 啰

6 6 :‖ 6 6 | $7.$ 5 |$\}$ 嘿 铁 索 桥 上 显 威 风,铁 索

嘿 啰 嘿 啰 嘿 啰

0 $\underline{6\,6}$:‖ 6 6 | $5.$ 5 |$\}$ 6^{V} $\underline{5\,5}$ | $\overset{.}{1} .$ 7 | $\underline{6\,5}$ $\overset{.}{1}^{V}\overset{.}{1}\overset{.}{1}$ |

0 $\underline{3\,3}$:‖ 3 3 | $3.$ 3 |

$\widehat{3 - | 3 \quad \underline{23} | \dot{5}. \quad \underline{\dot{3}} | \widehat{\dot{6}\dot{1} \quad \dot{2}} | \dot{2} - | \dot{2} \quad 5 |}$

勇士　万　　代　留英名，　　　　　　万

$\dot{1} - | \dot{1} \quad \underline{66} | 7. \quad \underline{\dot{1}} | \widehat{66 \quad 7} | 7 - | 7 \quad 5 |$

$\underline{\dot{3}\dot{2}} \quad \underline{\dot{1}\dot{2}} | \dot{3} \quad \underline{\dot{2}\dot{3}} | \dot{5}. \quad \underline{\dot{3}} | \widehat{\dot{6}\dot{1}} \quad \overset{\vee}{\dot{2}} \underline{\dot{2}} | \underline{\dot{2}\dot{2}} \quad \underline{\dot{2}5} \quad \underline{\dot{6}\dot{1}} | \dot{2} \quad 5 |$

桥上　显威　风，勇士　万　　代　留英名,勇士万代　留英　名，万

$\underline{\dot{1}7} \quad \underline{65} | \dot{1} \quad \underline{66} | 5. \quad 5 | \underline{\#4\;2} \quad \underline{5\;\overset{\vee}{5}} \underline{5\;5} | \underline{5\;5} \quad \underline{\#4\;2} | 5 \quad 5 |$

$\widehat{6. \quad \underline{7} | \widehat{\dot{1}6} \quad \dot{1}\dot{2} | \overset{\frown}{\dot{5}}. \quad \underline{\dot{3}\dot{2}} | \overset{\frown}{\dot{1}} - | \dot{1} - | \dot{1} \quad 0 \|}$

代　留英　　名。

$4. \quad \underline{5} | 6 - | \overset{\frown}{7} - | \overset{\frown}{5} - | 5 - | 5 \quad 0 \|$

$\dot{1}. \quad \underline{\dot{2}} | 4 \quad \underline{\dot{3}\dot{2}} | \overset{\frown}{\dot{2}} - | \overset{\frown}{\dot{3}} - | \dot{3} - | \dot{3} \quad 0 \|$

代　留英　　名。

$4. \quad \underline{3} | 2 - | \overset{\frown}{5} - | \begin{cases} \overset{\frown}{\dot{1}} - | \dot{1} - | \dot{1} \quad 0 \| \\ \overset{\frown}{\dot{1}} - | 1 - | 1 \quad 0 \| \end{cases}$

28

10.北戴河·浪淘沙

1=♭E 4/4

毛泽东 词
劫 夫 曲

♩=95

mf
6 5. 3 5̂6 | 1̇ — — — | 3̇ 2̇. 1̇ 2̇1̇ 6̇ 1̇ |

大 雨 落 幽 燕， 白 浪 滔

2̇ — — — | 1̇. 1̇ 2̇ 1̇. | 6̇ 1̇ 5. 6̇ — |

天， 秦 皇 岛 外 打 鱼 船。

p

pp
1̇. 6 5 3 | 2. 1 3 — | 3̇ — — 3̇ 1̇ |

一 片 汪 洋 都 不 见， 知 向

5. 6 1̇. 2̇1̇ | 6 — — — | 6 — — — |

谁 边？

mp
5 6. 05 3̂2 3 | 1̇ 6̇. 0 1̇ 6̇ 3 6 | 3 2 3 2̇ 1̇ 6 5 6 |

往 事 越 千 年， 魏 武 挥 鞭， 东 临 碣 石 有 遗 篇。

6. 1̇ 5 65 3 | 2. 1 3 3 | 0 1̇ 6 5 3. 2̇ 3 2 1 |

萧 瑟 秋 风 今 又 是，

mf   f

ff
03 5 6 5 — | 5. 3̂ 2̇ 0 1̇ 2̇ 1̇ 2̇ 3 | 1̇ — — — | 1̇ — — — ‖

换 了 人 间。

9

11. 四渡赤水出奇兵

长征组歌《红军不怕远征难》选曲

萧　华　词
晨耕　生茂
唐诃　遇秋　曲

1=F 4/4 2/4

稍慢 坚毅地

亲切、真挚地

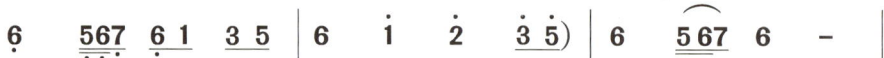

（女独）横　断　山，

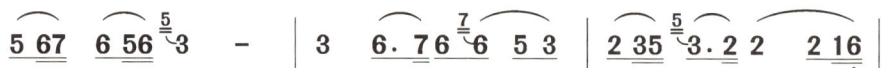

路　难　行。　天　如　火来　水　似　银，

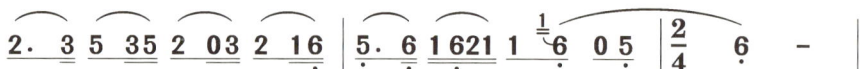

天　如　火　来　水　似　银哪！

女独

横断　山，　路难　行。　天　如

男、女高

横断　山，　路难　行。　天　如火来

男、女低

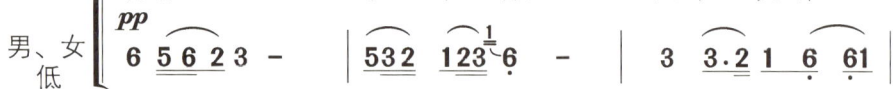

火来　水似　银，　天如　火来水似

水　似　银，　天　如　火来　水　似　水似

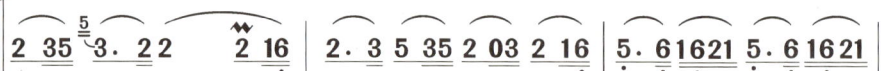

渐活跃

银 哪！

(第一遍女声、第二遍男声)

银 哪！　　　　　　　亲人 哪，送 水

银 哪！

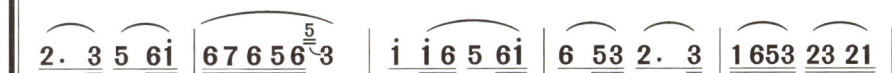

来 解 渴，　军民 鱼 水 一 家

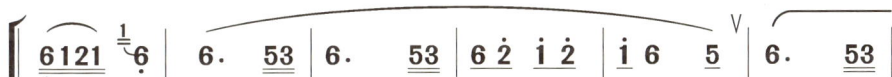

人 哪哎！　　　　　　　哎！

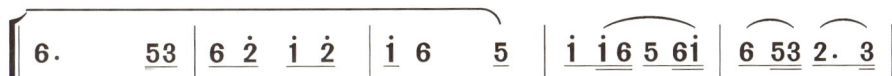

　　　　　　　　　　军民 鱼 水

一 家 人 哪！亲人 哪，送 水 来 解

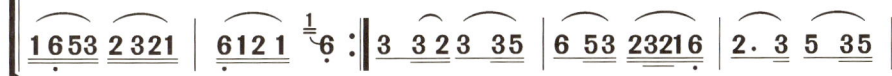

31

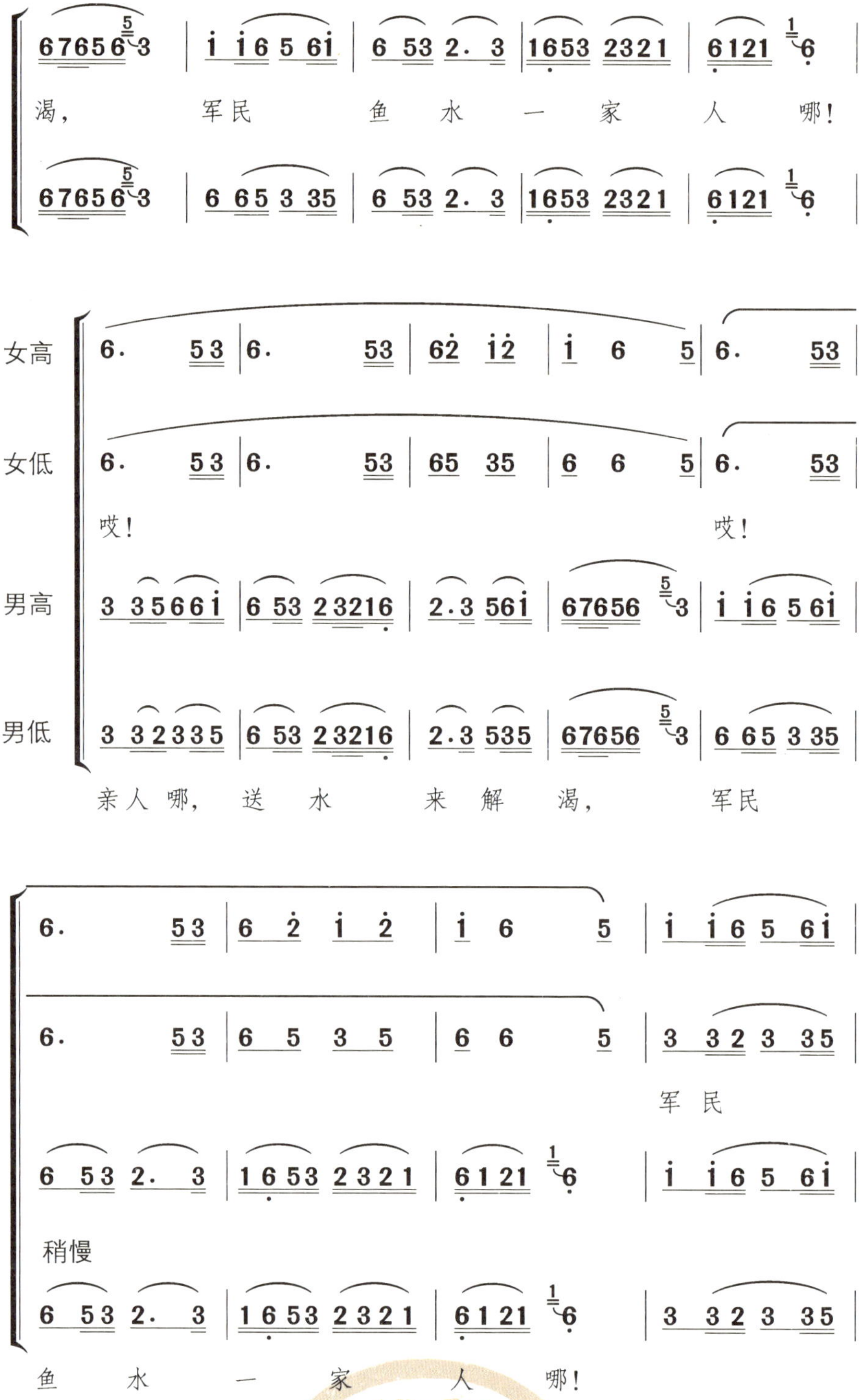
渴， 军民 鱼 水 一 家 人 哪！
女高
女低
哎！ 哎！
男高
男低
亲人哪，送 水 来 解 渴， 军民
军 民
稍慢
鱼 水 一 家 人 哪！

$5 \quad 5\overline{3} \quad 2. \quad 3 \mid 1 6 5 3 \quad 2 3 2 1 \mid 6 1 2 1 \quad \overset{1}{6} \mid 2. \quad 3 \quad 5 \quad 3 5$

$6 \quad 5\overline{3} \quad 2. \quad 3 \mid 1 6 5 3 \quad 2 3 2 1 \mid 6 1 2 1 \quad \overset{1}{6} \mid 2. \quad 3 \quad 5 \quad 3 5$

鱼　水　一　家　人　哪！军民鱼

$6 \quad 5\overline{3} \quad 2. \quad 3 \mid 1 6 5 3 \quad 2 3 2 1 \mid 6 1 2 1 \quad \overset{1}{6} \mid 2. \quad 3 \quad 5 \quad 3 5$

$6 \quad 5\overline{3} \quad 2. \quad 3 \mid 1 6 5 3 \quad 2 3 2 1 \mid 6 1 2 1 \quad \overset{1}{6} \mid 2. \quad 3 \quad 5 \quad 3 5$

$2 \quad 0 3 \quad 2 1 6 \mid 5. \quad 6 1 6 2 1 \mid \overset{1}{1} \quad \overset{1}{6} \quad 5 \quad 6 \quad -$

$2 \quad 0 3 \quad 2 1 6 \mid 5. \quad 6 1 6 2 1 \mid 1 \quad \overset{1}{6} \quad 5 \quad 6 \quad -$

水　一　家　人　哪！

$2 \quad 0 3 \quad 2 1 6 \mid 5. \quad 6 1 6 2 1 \mid \overset{1}{1} \quad \overset{1}{6} \quad 5 \quad 6 \quad -$

mp

$2 \quad 0 3 \quad 2 1 6 \mid 5. \quad 6 1 6 2 1 \mid 1 \quad \overset{1}{6} \quad 5 \quad 6 \quad -$

稍慢　　（0 66 | 6 2 4 5 6 -）　　　　　　　　（0 33

$\frac{4}{4} \quad 6 \quad 5 6 7 \quad 6 \quad - \mid 6 \quad - \quad 0 \quad 0 \mid 5 6 7 6 5 6 \quad \overset{5}{3} \quad -$

横　断　山，　　　　　　　路　难　行。

$3 6 1 2 \quad 3 \quad -）$

$3 \quad - \quad 0 \quad 0 \mid 3 \quad 6. 7 6 \quad 5 3 \mid 6 5 \quad 3 1 \quad 2. \quad 3 \mid$

敌　重　兵，　　压　黔　境。

（666 3636 666 3636）中速 乐观、自豪地

$1. 2 3 5 \quad 2. 3 1 6 5 \mid 6 \quad - \quad - \quad - \mid \frac{2}{4} \quad 6 6 3 3 5 \mid 1 2 1 \quad 6$

敌人重兵压　黔　　境。（男中音独唱）　　战士双脚　走天　下，

33

水

歌曲

水文化教育丛书

5 35 231 | 6̣ 21 6̣ | 3.3 6 6 | i 5 653 | 6.6 6 5 35 |
四渡 赤水 出奇 兵。 乌江天险 重飞渡， 兵临贵阳逼昆

(666 3636 | 666 3636)
6 - | 6 - | i.i 6 6 | 3 35 6 6 | 3.5 6 i |
明。　　　　　敌人弃甲　丢烟 枪啊， 我军乘胜

　　　　　　　mp　　　　　　　f　　　渐慢
5 6 35 2 | 6.6 53 | 2 3 #4 33 | 5 53 235 | 32 1 2 6̣ |
赶路程。 调虎离山 袭 金沙呀， 毛主席用兵 真如神，

53 5.6 | i - | i 6 i | 2 i.6 | 5 6 7 6 |
毛 主 席　　 用兵 真如神，

原速　　　　　　　　　　(666 3636 | 666 3636)
1 1 2 3 6 | 53 231 | 1̇ 6 0 5 | 6 - | 6 - |
毛主席用兵 真如 神哪哎 嗨！

男、女高
| 6̣6̣ 3 35 | 1 21 6̣ | 5 35 231 | 6̣ 21 6̣ | 3.3 6 6 |
战士双脚 走天 下， 四渡 赤水 出奇 兵。 乌江天险

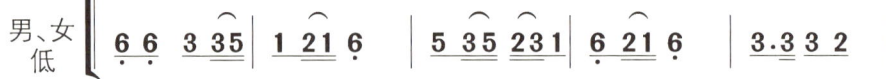

男、女低
| 6̣6̣ 3 35 | 1 21 6̣ | 5 35 231 | 6̣ 21 6̣ | 3.3 3 2 |

| i 5 653 | 6.6 6 5 35 | 6 X | 6.6 6 5 35 | 6 - |
重飞渡， 兵临贵阳逼昆 明。 咳！ 兵临贵阳逼昆 明。

| 3 5 653 | 6.6 6 5 35 | 6 X | 6.6 6 5 35 | 6 - |

(男中音领唱)

1.166 | 3 3566 | 0 0 | 3.561 |
敌人弃甲 丢烟 枪啊， 我军乘胜

0 0 | 0 0i | 3 3566 | 0 0 |
咳， 丢烟 枪啊，

0 0 | 0 06 | 1 1233 | 0 0 |

5635 2 | 0 0 | 6.653 | 23#4 33 |
赶路程。 调虎离山 袭 金沙呀，

0 0i | 5635 2 | 0 0 | 0 0 |
咳， 赶路程，

0 06 | 5635 2 | 0 0 | 0 0 |

0 0 | 5 53235 | 3212 6 | 0 0 |
毛主席用兵 真如 神，

p
23#4 33 | 0 0 | 0 0 | 53 5.6 |
袭 金沙呀， 毛主

p
23#4 33 | 0 0 | 0 0 | 53 5.6 |

1 - | 1 - | 1.1 1 6 | 2 21 61 | 2 2 16 | 1.2 1.6 |
席 毛主席 用兵真如 神， 用 兵

6 -
3.6 | 5.5 53 | 66 567 | 6 653 | 6665 3 | 23#4 3.2 |
毛主席 用兵真如 神， 毛主席用兵 真 如 神，

35

水

歌曲

（男中音领唱）

慢

```
5̂67 6 | 1̂1 2 3 6 | 5̂3 2̂3 1 | 1̇⁻6 0 5̣ | 6̣ - | 1̂1 2 3 6 ‖
真 如 神，毛主席用兵 真 如 神哪！哎 嗨！ 毛主席用兵

5̂67 6 | 1̂1 2 3 6 | 5̂3 2̂3 1 | 1̇⁻6 0 5̣ | 6̣ - | 0 0 ‖
```

原速（666 3636 | 666 3636 | 60 60 | 60 0）

```
5̂3 2̂3 1 | 1̇⁻6 0 5 | 6 - | 6 - | 6 - | 6 0 0 ‖
真 如 神哪！哎 嗨！ 嗨！

0 0 | 6̇6 0 5 | 6 - | 6 - | 6 - | 6 0 0 ‖
神哪！哎 嗨！ 嗨！

0 0 | 6̇6 0 5 | 3 - | 3 - | 3 - | 3 0 0 ‖
```

36

12. 我的祖国

电影《上甘岭》插曲

乔 羽 词
刘 炽 曲

1=F 4/4 2/4

优美、亲切地

(5 5 6 5 3. 5 | 2 3 1 6 1 2. 1 2 | 3 6 1 3 2 3 5 6 | 7 2 2 7 6 7 5 -)

女高
1 2 6 5 5. 6 | 3 5 1 6 5 - | 5 6 5 3 2 3
一条大河 波浪宽， 风吹稻花

女低
0 0 1 2 6 5 | 1. 2 3 6 1 2 | 3 - 1 7 6
一条大河 波浪宽， 风吹

5 3 6 1 2 - | 0 0 6 - 56 | 1 5 6 3 1 6
香 两岸。 噢，

3. 5 7 5 6 | 2 5 3 1 6 5 6 | 2 6 5 6 3. 2
稻 花香两岸。我家就在 岸上住，

1 2 2 3 5 5 1 6 5 | 5 6 1 2 4. 6 6 | 5 6 3 2 1 - | 1 0
听惯了艄公的号 子，看 惯了船 上的白 帆。

5 5 5 1 1 1 3 1 2 | 3. 5 1 2 1 2 | 7 7 6 5 6 1 - | 1 0
听惯了艄公的号 子，噢 看惯了 船上的白 帆。

(女独)
mf
1 2 6 5 5. 6 | 3 5 1 6 5 - | 5 6 5 3 2 3

1. 一条大 河 波浪宽， 风吹稻花
2. 姑娘好 像 花一样， 小伙心胸
3. 好山好 水 好地方， 条条大路

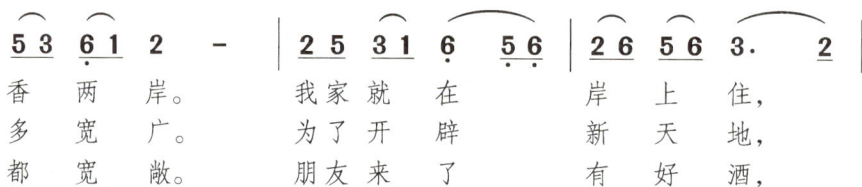

5 3 6̂ 1 2　－　｜　2 5 3̂ 1　6.　5̂ 6　｜　2 6 5̂ 6　3.　2　｜

香　两　岸。　　我家就在　岸　上　住，
多　宽　广。　　为了开辟　新　天　地，
都　宽　敞。　　朋友来了　有　好　酒，

1 2̂ 2 3 5 5 1̂ 6　5 ∨　｜　5 6̂　1 2　4.　6 6　｜

听惯了艄公的号　　子，　　看　惯了船　上　的
唤醒了沉睡的高　　山，　　让　那河流改　变　了
若是那豺狼来　　了，　　迎　接它　的　有

5 6̂ 3 2 1　－　｜　1　0　｜　0 0 0 0　｜

女独　白　　帆。
　　模　　样。
　　猎　　枪。

(副歌)

稍快　宽阔、壮丽地

女高　0 0 0 0　｜　0　5̲ 5　｜　*mf* 1̇　－　2̇.　1̇　｜

女低　0 0 0 0　｜　0　5̲ 5　｜　3　－　5.　5　｜

这是　{美　丽/英　雄/强　大}的

男高　0 0 0 0　｜　0　5̲ 5　｜　*mf* 5　－　7.　7　｜

男低　0 0 0 0　｜　0　5̲ 5　｜　*mf* 5̣　－　5̣.　5̣　｜

$$0 \quad 0 \quad 0 \quad 0 \mid$$

$$\widehat{6\;\dot1}\;5\;7\;6\;-\mid 5\;3\;\dot1\;\underline{6\cdot6}\mid \underline{\dot5\dot6}\;\dot1\dot2\;3\;-\mid$$

$$3\;-\;4\;-\mid 3\;3\;3\;\underline{4\cdot3}\mid \underline{2\dot6}\;\underline{6\dot7}\;1\;-\mid$$

祖　　国，　　　是 我 生 长 的　地　　　方，

$$\widehat{6\;5}\;\left\{\begin{matrix}\dot1\;-\\4\;-\end{matrix}\right\}\mid 7\;7\;\dot1\;\underline{\dot1\cdot\dot1}\mid 7\;3\;6\;-\mid$$

$$\phantom{\widehat{6\;5}}\left.\phantom{\begin{matrix}\dot1\;-\\4\;-\end{matrix}}\right.\;5\;5\;6\;\underline{6\cdot6}\mid 5\;3\;6\;-\mid$$

$$1\;-\;4\;-\mid \underline{5}\;\underline{5}\;6\;\underline{6\cdot6}\mid \underline{5}\;1\;\underline{6}\;-\mid$$

渐慢 _____

$$3\;\underline{3\;5}\;6\;\widehat{6\;\dot1}\mid \dot2\;\widehat{3\;\dot1}\;\overset{\frown}{\dot2\cdot}\;\dot1\mid$$

ff 回原速 [1. 2.]

$$\dot2\;3\;5\;6\;7\;\dot2\dot2\;6\;7\mid$$

$$1\;\underline{1\;1}\left\{\begin{matrix}4\;\underline{4\;5}\\1\;\underline{1\;2}\end{matrix}\right.\left.\begin{matrix}6\\4\end{matrix}\right\}6\;\;\overset{\frown}{5\cdot}\;\;6\mid$$

ff
$$5\;3\;2\;3\;4\;5\;5\;5\;4\;3\mid$$

在　这 片 {辽 阔/古 老/温 暖} 的 土 地　上，

到处都有 明媚的风
到处都有 青春的力

p

$$\left\{\begin{matrix}\overset{\frown}{6\cdot}\;\underline{5}\;\overset{\frown}{4\cdot}\;\underline{5}\mid 6\\3\;-\;1\;-\mid 2\end{matrix}\right\}\;-\;\;\overset{\frown}{7\cdot\;7}\;7\;6\mid$$

ff
$$5\;5\;5\;3\;2\;5\;5\;6\;\dot2\mid$$

啊　　　　　　　　 土 地 上， 到处都有 明媚的风
到处都有 青春的力

p

$$\overset{\frown}{\underline6\cdot}\;\underline{\underline5}\;\overset{\frown}{\underline4\cdot}\;\underline{\underline5}\mid 4\;6\;\;\overset{\frown}{\underline5\cdot}\;\underline{\underline5}\;\underline5\;6\mid 7\;7\;7\;1\left\{\begin{matrix}\underline{2\;7\;7}\;\underline{1\;6}\\\underline{2\;2\;2}\;\underline{2\;2}\end{matrix}\right\}$$

水

歌曲

13. 黄河船夫曲

选自《黄河大合唱》

1=D 3/4

急速 雄壮地

光未然 词
冼星海 曲

〔朗诵〕朋友!你到过黄河吗?你渡过黄河吗?你还记得河上的船夫拚着性命和惊涛骇浪搏战的情景吗?如果你已经忘掉的话,那么你听吧!

41

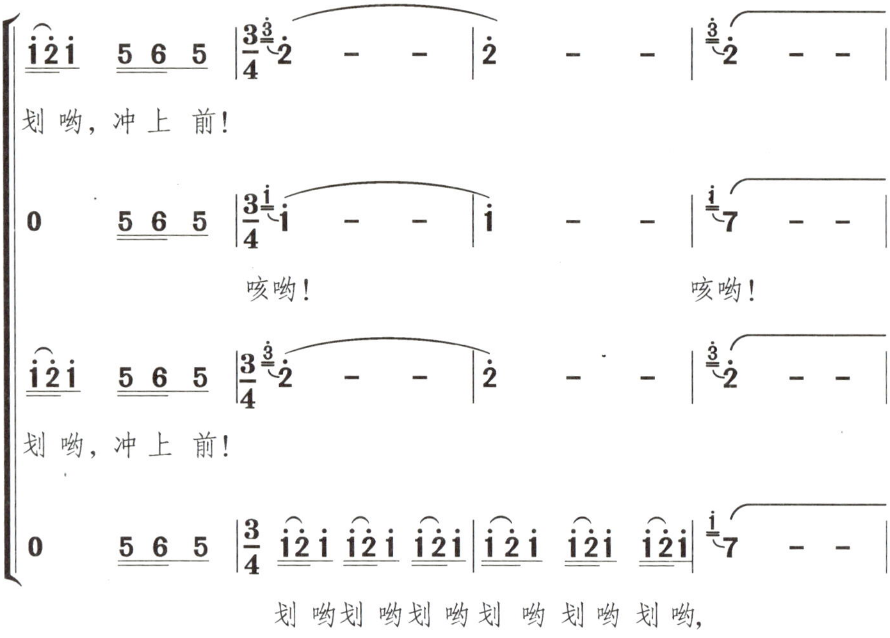
划 哟，冲 上 前！
咳哟！
咳哟！
划 哟，冲 上 前！
划 哟划 哟划 哟划 哟 划 哟 划 哟，

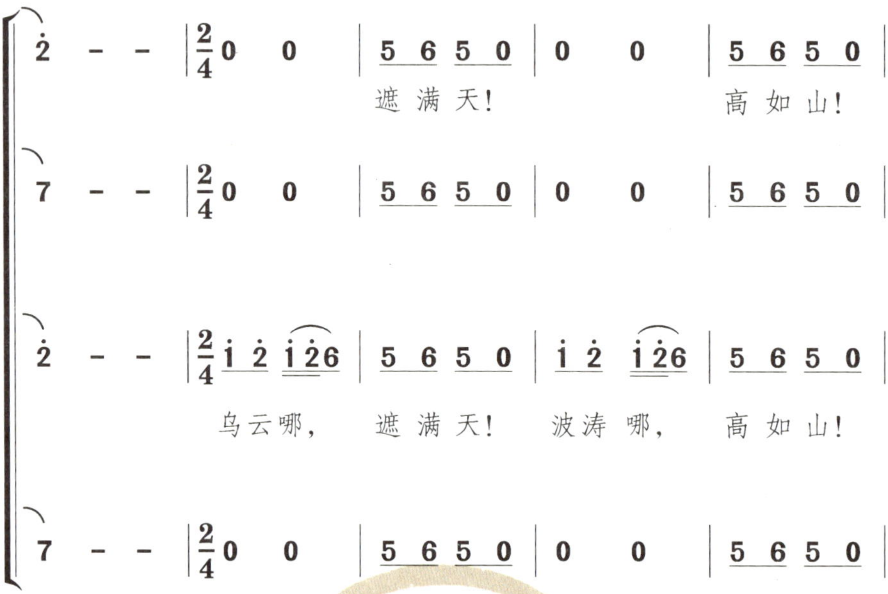
遮 满 天！
高 如 山！
乌云哪，
遮 满 天！
波涛 哪，
高 如 山！

扑 上 脸！　　　　打 进 船。

咳 哟！

冷 风 哪，　扑 上 脸！　浪 花 哪，　打 进 船。

划 哟 划 哟划 哟

睁 开 眼！

咳 哟！

伙 伴 哪，　睁 开 眼！

划 哟划 哟划 哟，

```
0   0  | 5 6 5 0 | 0   0  | 5 6 5 0 | 0   0  |
              把 住 腕!              别 偷 懒!

0   0  | 5 6 5 0 | 0   0  | 5 6 5 0 | 0   0  |

i 2 i 2 6 | 5 6 5 0 | i 2 i 2 6 | 5 6 5 0 | i 2 i 2 6 |
舵手 哪,   把 住 腕!  当心 哪,   别 偷 懒!  拼命 哪,

0   0  | 5 6 5 0 | 0   0  | 5 6 5 0 | 0   0  |
```

```
5 6 5 0 | 0 2 i 2 i | 0 2 i 2 i | 0 2 i 2 i | 0 2 i 2 i |
莫胆寒!   咳 划 哟!   咳 划 哟!   咳 划 哟!   咳 划 哟!

5 6 5 0 | 0 5 i 2 i | 0 5 i 2 i | 0 5 i 2 i | 0 5 i 2 i |
莫胆寒!   咳 划 哟!   咳 划 哟!   咳 划 哟!   咳 划 哟!

5 6 5 0 | 0 2 i 2 i | 0 2 i 2 i | 0 2 i 2 i | 0 2 i 2 i |
莫胆寒!   咳 划 哟!   咳 划 哟!   咳 划 哟!   咳 划 哟!

5 6 5 0 | 0 5 i 2 i | 0 5 i 2 i | 0 5 i 2 i | 0 5 i 2 i |
```

$\dot{1}\dot{1}\dot{1}\dot{2}\dot{2}|\dot{1}\dot{1}\dot{2}\dot{2}\dot{2}|0\quad0|0\quad0|6.\dot{1}65|$

不怕那千丈 波涛高如 山！　　　　　　行　船好比

$\begin{Bmatrix}6666|66666\\3334 4|33222\end{Bmatrix}0\quad0|0\quad0|6.\dot{1}65|$

$0\quad0|0\quad0|\dot{1}\dot{1}\dot{1}\dot{2}\dot{2}|\dot{1}\dot{1}\dot{2}\dot{2}\dot{2}|0\quad0|$

不怕那千丈　波涛高如 山！

$0\quad0|0\quad0|\begin{Bmatrix}66666|66666\\33344|33222\end{Bmatrix}0\quad0|$

$\widehat{65}\,\widehat{35}60|0\quad0|0\quad0|0\dot{2}\ \dot{1}\dot{2}\dot{1}|0\dot{2}\ \dot{1}\dot{2}\dot{1}|$

上火线，　　　　　　　　　咳划 哟！ 咳划 哟！

$\widehat{65}\,\widehat{35}60|0\quad0|0\quad0|05\ \widehat{1}\widehat{2}1|05\ \widehat{1}\widehat{2}1|$

$0\quad0|6.\dot{1}65|\widehat{65}\,\widehat{35}60|0\dot{2}\ \dot{1}\dot{2}\dot{1}|0\dot{2}\ \dot{1}\dot{2}\dot{1}|$

　　　　团 结一心 冲上 前！ 咳划 哟！ 咳划 哟！

$0\quad0|6.\dot{1}65|\widehat{65}\,\widehat{35}60|05\ \widehat{1}\widehat{2}1|05\ \widehat{1}\widehat{2}1|$

水

歌曲

```
|: 0 2̇ 1̇2̇1̇ | 0 2̇ 1̇2̇1̇ | 3/4 3̇2̇ - - | 2̇ - - |
      咳 划 哟!    咳 划 哟!   咳 哟!

   0 5 1̇2̇1 | 0 5 1̇2̇1 | 3/4 1̇1 - - | 1̇ - - |

   0 2̇ 1̇2̇1̇ | 0 2̇ 1̇2̇1̇ | 3/4 3̇2̇ - - | 2̇ - - |
      咳 划 哟!    咳 划 哟!   咳 哟!

   0 5 1̇2̇1 | 0 5 1̇2̇1 | 3/4 1̇2̇1 1̇2̇1 1̇2̇1 | 1̇2̇1 1̇2̇1 1̇2̇1 |
                             划哟划哟划哟 划哟划哟划哟
```

```
| 3/4 3̇2̇· - - | 2̇ - - |: 1̇2̇1 1̇2̇1 1̇2̇1 | 2/4 1̇2̇1 5 6 5 |
     咳 哟!            划 哟划 哟划 哟  划 哟,冲上前!

   1̇7 - - | 7 - - | 1̇2̇1 1̇2̇1 1̇2̇1 | 2/4 0    5 6 5 |

   3/4 3̇2̇· - - | 2̇ - - | 1̇2̇1 1̇2̇1 1̇2̇1 | 2/4 1̇2̇1 5 6 5 |
      咳 哟!            划 哟划 哟划 哟  划 哟,冲上前!

   1̇7 - - | 7 - - | 1̇2̇1 1̇2̇1 1̇2̇1 | 2/4 0    5 6 5 |
```

划 哟,冲上前! 划 哟,冲上 前! 划 哟,冲上前! 咳哟!

划 哟 划 哟 划 哟!

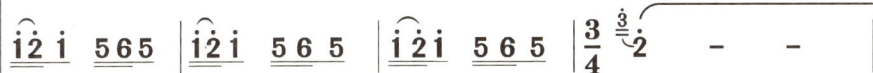

划 哟,冲上前! 划 哟,冲上 前! 划 哟,冲上前! 咳哟!

划 哟 划 哟 划 哟!

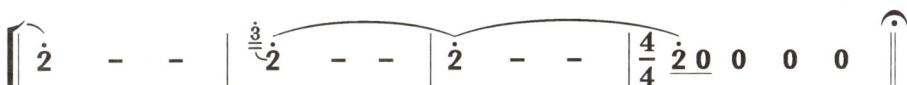

咳哟!

划 哟 划 哟划 哟 咳哟!

（笑声）

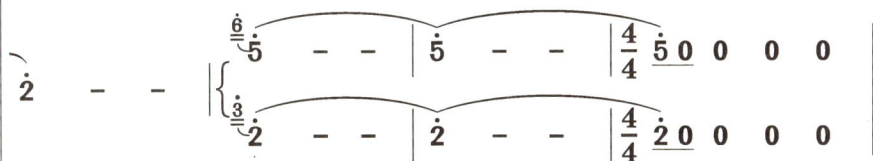

咳哟!

划 哟 划 哟划 哟 咳哟!

慢速

水

歌曲

mp

我们看见了河 岸,我们登上了河 岸。心哪, 安一安,气哪, 喘一喘。

快速 *f*

回 头来, 再和那黄河 怒 涛 决 一 死 战,

决一死战，决一死战！　　　　　决一死战！

咳哟！　　划哟，　　　　划哟，

咳！

咳哟！　　划哟，　　　　划哟，

水
歌曲

女低　　　f ————————————————　ppp
6 0 ｜ 6 0 ｜ 6 0 ｜ 6 — ｜ 6 0 0 ‖
咳！　　咳！　　咳！　　咳！

男高
6 0 ｜ 6 0 ｜ 6 0 ｜ 6 — ｜ 6 0 0 ‖

男低
6 0 ｜ 6 0 ｜ 6 0 ｜ 6 — ｜ 6 0 0 ‖

14. 黄 水 谣

选自《黄河大合唱》

1=D 2/4

中速

光未然 词
冼星海 曲

〔朗诵〕我们是黄河的儿女！我们艰苦奋斗，一天天接近胜利。但是，敌人一天不消灭，我们一天便不能安生。不信，你听听河东民众痛苦的呻吟：

(5　35 | i 23 65 | 3　53 | 23 21 | 5　—)

mf

女高 5　35 | i 23 65 | 3　53 | 2.　3 | 1.3 21 61 |

黄　水　奔　流　向　东　方，　　河流万里

女低 3　13 | 5 65 32 | 1　6 1 | 2.　3 | 1.3 21 61 |

5 — | 5 — | 5　56 | 1.　3 | 56 i 6 |

长。　　　　　水　又　急，　浪　又

5 — | 5 — | 5　56 | 1.　6 | 2　1 2 |

5 — | 23 i 2 | 6 1 56 | 1 2 35 | 2 — |

高，　奔腾　叫啸　如虎　狼。

3 — | 6 5 | 3 2 | 7 6 | 2 — |

(12 35 | 2 —) | 2.3 5 65 | 3 — | 2.3 21 |

开　河　渠，　筑　堤

0 0 | 0 0 | 2.3 5 65 | 3 — | 2.3 21 |

51

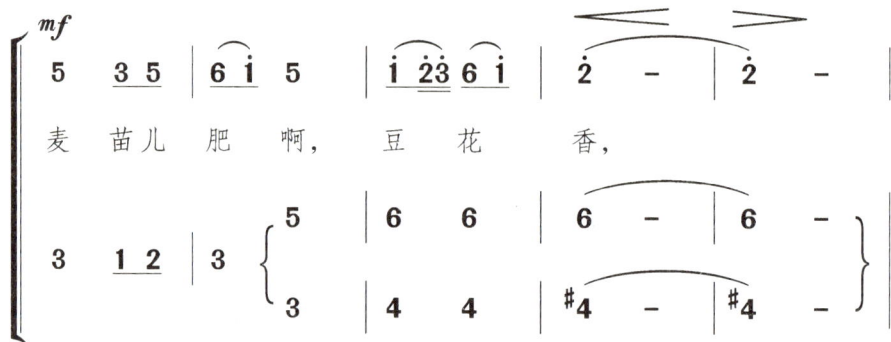

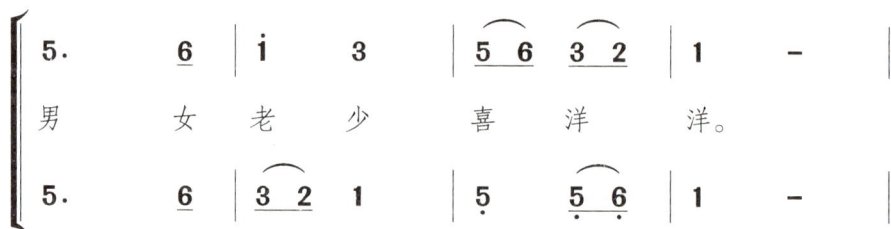

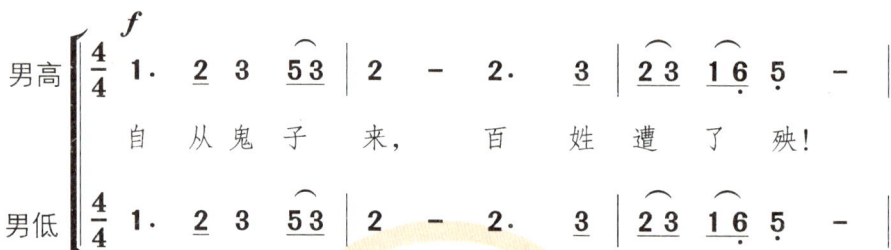

f

```
6̣  -  | 6.  5 | 6 i  5 6 | 3  5 3 | 6̣  - |
```
防，　　河　东　千　里　成　平　壤。

```
6̣  -  | 1.  2 | 3  2 3 | 1  7̣ | 6̣  - |
```

mf

```
5  3 5 | 6 i  5 | i 2 3 6 i | 2̇  - | 2̇  - |
```
麦　苗　儿　肥　啊，豆　花　香，

```
3  1 2 | 3 { 5 | 6  6 | 6  - | 6  - |
        { 3 | 4  4 | #4  - | #4  - | }
```

```
5.  6 | i  3 | 5 6  3 2 | 1  - |
```
男　女　老　少　喜　洋　洋。

```
5.  6 | 3 2  1 | 5̣  5̣ 6̣ | 1  - |
```

```
( 5.  6 | i  3 | 5 6  3 2 | 1  - )
```

男高 **f**
```
4/4  1.  2 3  5 3 | 2  - 2.  3 | 2 3  1 6̣ 5̣ | - |
```
自　从　鬼　子　来，　百　姓　遭　了　殃！

男低
```
4/4  1.  2 3  5 3 | 2  - 2.  3 | 2 3  1 6̣ 5̣ | - |
```

52

53

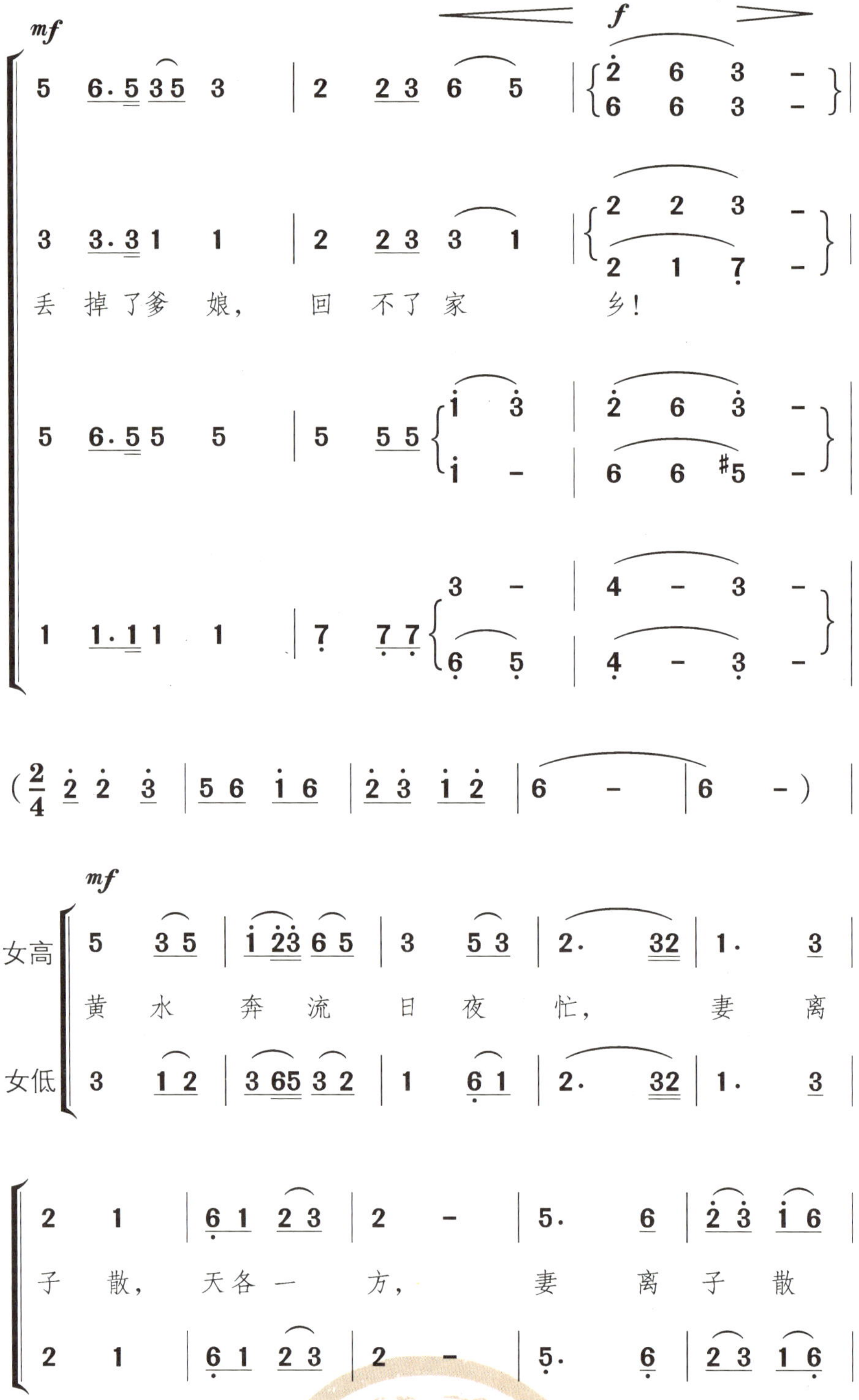

水

歌曲

mf

丢 掉 了 爹 娘， 回 不 了 家 乡！

（2/4）

mf

女高　黄 水 奔 流 日 夜 忙， 妻 离

女低

子 散， 天 各 一 方， 妻 离 子 散

$\overline{5 \cdot \quad \underline{3}} \mid \overline{2 \quad \dot{6}} \mid 1 \quad - \mid 1 \quad - \mid$

天　　　各　一　　　　方！

$5 \cdot \quad \underline{\dot{3}} \mid 4 \quad - \mid \dot{3} \quad - \mid \dot{3} \quad - \mid$

$(\underline{\dot{2} \ \dot{2} \ \dot{3}} \mid \underline{5 \ 6} \ \underline{\dot{1} \ 6} \mid \underline{\dot{2} \ \dot{3}} \ \underline{\dot{1} \ \dot{2}} \mid \underline{6 \ \dot{1}} \ \underline{\dot{3} \ \dot{2}} \mid \dot{1} \quad - \mid \dot{1} \quad -)$

15. 黄 河 怨

选自《黄河大合唱》

光未然　词
冼星海　曲

1=A 3/4

水
文
化
教
育
丛
书

慢速

(3 - 2 | 1 - - | 2 232 121 | 6 - - |

5 - 6 | 5 - - | 3. 23 62 | 1 - 10)

3 - 2 | 1 - - | 1111. 6 | 5 - - |
风　　啊，　你不要叫　喊！

5 - 6 | 2 - - | 1112. 7 | 6 - - |
云　　啊，　你不要躲　闪！

3.4 5 - | 5 - - | 3212. 3 | 1 - - |
黄河　啊，　你不要呜　咽！

1 - - | 1 1 - | 1 12 17 | 6 - - |
　　今 晚　我 在你面　前，

2 2 2. 1 | 5 - 6 | 1 - - | (32 12 56
哭诉我 的愁　和　怨！

急迫地

命 啊, 这样苦! 生 活 啊,

这样难! 鬼 子 啊, 你这样没 心 肝!

渐慢

孩 子 啊, 你 死 得 这样

回原速

惨! 我 和 你

无仇又 无 冤, 偏让我无 颜 偷 生 在 人

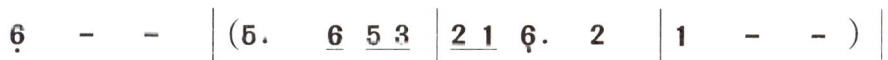

间!

渐强

狂 风 啊, 你不要叫 喊!

57

3.5 3 - 2 3 2 6.1 | 2 - - 5 5.3 5 6 ‖

乌云啊， 你不要躲 闪！ 黄河的 水啊，

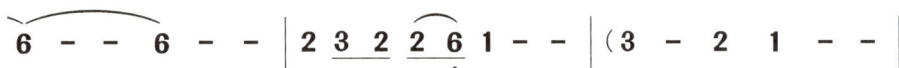

6 - - 6 - - | 2 3 2 2 6 1 - - (3 - 2 1 - -|

你不要呜 咽！

2 2 2 3 2 1 2 1 6 - - | 5 - 6 5 - - | 3.2 3 6 2 1 - 1 0) ‖

6/8 1 1 1 1 1 3 2 | 1.2 3 3. | 3 5 3 2 6 5 3 5 ‖

今晚我要投在 你的 怀中， 洗清我的千重愁来

1 2 3 5 2. | (3 2 1 2 3 5 2.) | 5.6 5 3.5 3 ‖

万 重 冤！ 丈夫啊,在天 边！

5.6 5 6.1 6 | 5 5 5 3 3 6 5 | 3 5 3.2 1 3 ‖

地下啊,再团圆! 你要想想妻子 儿女 死得这样

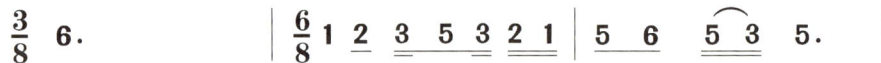

3/8 6. | 6/8 1 2 3 5 3 2 1 | 5 6 5 3 5. ‖

惨！ 你要替我把这笔 血债清 还！

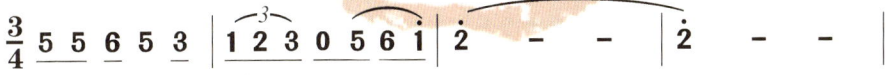

你要替我把 这 笔 血 债

清 还！

16. 保卫黄河

选自《黄河大合唱》

光未然　词
冼星海　曲

1=C 2/4

快速

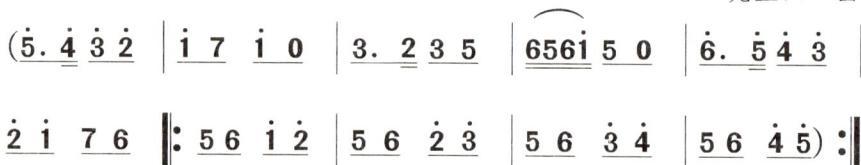

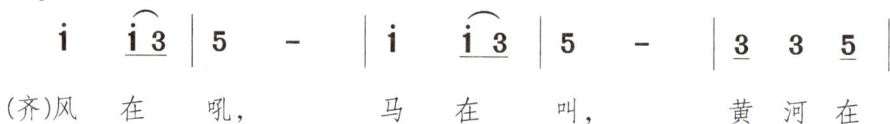

f

（齐）风　在　吼，　马　在　叫，　黄　河　在

咆　哮，　黄　河　在　咆　哮。　河　西　山　岗　万　丈　高，

河　东　河　北　高粱熟了。万　　山　丛　中，　抗　日　英雄

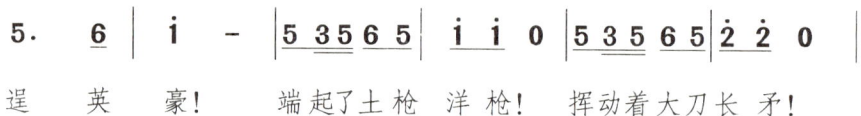

真　不　少！　青　纱　帐　里，　游　击　健　儿

5. 6 | i — | 5 3 5 6 5 | i i 0 | 5 3 5 6 5 2 2 0 |

逞　英　豪！　端起了土枪　洋　枪！　挥动着大刀长矛！

p

女　高低　保卫家乡！　保卫 黄河!保卫 华北!保卫 全中国！风 在

男　高低　全中国

60

水

歌曲

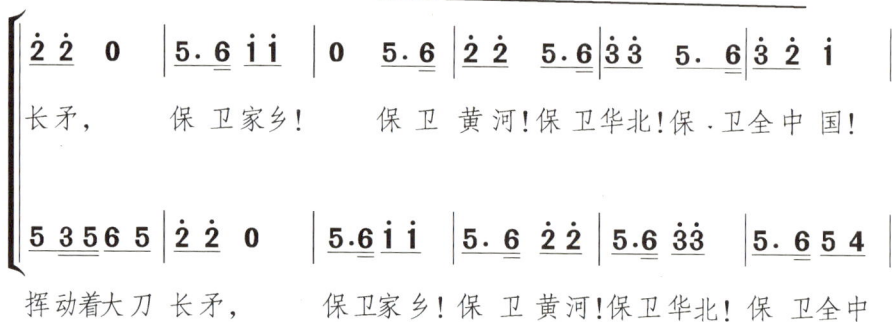

$\begin{array}{c|c|c|c|c}
\underline{6\ \dot{1}}\ 5\ 6 & \underline{3\ 5}\ \underline{3\ 0} & 6\ \underline{6\ 4} & \dot{2} \quad \dot{2} & \underline{6\ 4}\ \dot{3}\ \dot{2}
\end{array}$

龙 格 龙 格 龙 格 龙， 黄 河 在 咆 哮。 龙 格 龙 格

$\begin{array}{c|c|c|c|c}
\dot{1} \quad \dot{1} & \underline{6\ \dot{1}}\ 5\ 6 & \underline{3\ 5}\ \underline{3\ 0} & 6\ \underline{6\ 4} & \dot{2} \quad \dot{2}
\end{array}$

咆 哮。 龙 格 龙 格 龙 格 龙， 黄 河 在 咆 哮。

$\begin{array}{c|c|c|c}
\underline{3}\ 3\ \underline{5} & \dot{1} \quad \dot{1} & \underline{6\ \dot{1}}\ 5\ 6 & \underline{3\ 5}\ \underline{3\ 0} & 6\ \underline{6\ 4}
\end{array}$

黄 河 在 咆 哮， 龙 格 龙 格 龙 格 龙， 黄 河 在

$\begin{array}{c|c|c|c|c}
\dot{1}\ 7\ \dot{1}\ 0 & \underline{5.}\ \underline{6}\ 5\ 4 & \underline{3\ 2}\ \underline{3\ 0} & \dot{1}\ \dot{1}\ \dot{1}\ 0 & \underline{5\ 4}\ \underline{3\ 0}
\end{array}$

龙 格 龙， 河 西 山 岗 万 丈 高， 龙 格 龙 龙 格 龙，

$\begin{array}{c|c|c|c|c}
\underline{6\ 4}\ \dot{3}\ \dot{2} & \dot{1}\ 7\ \dot{1}\ 0 & \underline{5.}\ \underline{6}\ 5\ 4 & \underline{3\ 2}\ \underline{3\ 0} & \dot{1}\ \dot{1}\ \dot{1}\ 0
\end{array}$

龙 格 龙 格 龙 格 龙， 河 西 山 岗 万 丈 高， 龙 格 龙

$\begin{array}{c|c|c|c}
\dot{2} \quad \dot{2} & \underline{6\ 4}\ \dot{3}\ \dot{2} & \dot{1}\ 7\ \dot{1}\ 0 & \underline{5.}\ \underline{6}\ 5\ 4 & \underline{3\ 2}\ \underline{3\ 0}
\end{array}$

咆 哮。 龙 格 龙 格 龙 格 龙， 河 西 山 岗 万 丈 高，

$\begin{array}{c|c|c|c|c}
\underline{5.}\ \underline{6}\ 5\ 4 & \underline{3\ 2}\ \underline{3\ 1} & \dot{1}\ \dot{1}\ 3\ 2 & \underline{3\ 6}\ \underline{5\ 0} & \underline{5.} \quad 6
\end{array}$

河 东 河 北 高 粱 熟 了。 龙 格 龙 格 龙 格 龙， 万 山

$\begin{array}{c|c|c|c|c}
\underline{5\ 4}\ \underline{3\ 0} & \underline{5.}\ \underline{6}\ 5\ 4 & \underline{3\ 2}\ \underline{3\ 1} & \dot{1}\ \dot{1}\ 3\ 2 & \underline{3\ 6}\ \underline{5\ 0}
\end{array}$

龙 格 龙， 河 东 河 北 高 粱 熟 了。 龙 格 龙 格 龙 格 龙，

$\begin{array}{c|c|c|c|c}
\dot{1}\ \dot{1}\ \dot{1}\ 0 & \underline{5\ 4}\ \underline{3\ 0} & \underline{5.}\ \underline{6}\ 5\ 4 & \underline{3\ 2}\ \underline{3\ 1} & \dot{1}\ \dot{1}\ 3\ 2
\end{array}$

龙 格 龙 龙 格 龙， 河 东 河 北 高 粱 熟 了。 龙 格 龙 格

$\dot{1}$ 3 | 5.$\dot{3}\dot{2}\dot{1}$ | 5. 6 | 3 — | $\dot{1}\dot{1}$ 3 2 |

丛　中，　抗日英雄真　　不　少！　　　　龙格龙格

5. 6 | $\dot{1}$ 3 | 5.$\dot{3}\dot{2}\dot{1}$ | 5. 6 | 3 — |

万　山丛中，　抗日英雄真　　不　少！

3 6 5 0 | 5. 6 | $\dot{1}$ 3 | 5.$\dot{3}\dot{2}\dot{1}$ | 5. 6 |

龙格龙，　万　山丛　中，　抗日英雄真　不

3 5 $\dot{1}$ 0 | 5. 6 | $\dot{1}$ 3 | 5.$\dot{3}\dot{2}\dot{1}$ | 5. 6 |

龙格龙，　青　纱帐里，　游击健儿逞　英

$\dot{1}\dot{1}$ 3 2 | 3 5 $\dot{1}$ 0 | 5. 6 | $\dot{1}$ 3 | 5 $\dot{3}$ $\dot{2}$ $\dot{1}$ |

龙格龙格龙格龙，　青　纱帐里，　游击健儿

3 — | $\dot{1}\dot{1}$ 3 2 | 3 5 $\dot{1}$ 0 | 5. 6 | $\dot{1}$ 3 |

少！　　龙格龙格　龙格龙，　青　纱帐里，

$\dot{1}$ — | $\dot{3}$ $\dot{3}$ 5 5 | $\dot{1}$ $\dot{1}$ $\dot{3}$ $\dot{3}$ | 5 3 5 6 5 | $\dot{1}\dot{1}$ 0 |

豪！　　龙格龙格　龙格龙格，端起了土枪洋枪，

5. 6 | $\dot{1}$ — | $\dot{3}$ $\dot{3}$ 5 5 | $\dot{1}$ $\dot{1}$ $\dot{3}$ $\dot{3}$ | 5 3 5 6 5 |

逞　英豪！　　龙格龙格　龙格龙格，端起了土枪

5.$\dot{3}\dot{2}\dot{1}$ | 5. 6 | $\dot{1}$ — | $\dot{3}$ $\dot{3}$ 5 5 | $\dot{1}\dot{1}$ $\dot{3}\dot{3}$ |

游击健儿逞　英豪！　　龙格龙格龙格龙格，

3 1 5 35 | 6 5 1 1 | 5 3 5 6 5 | 2 2 0 | 1 2 1 6 5 3 |

龙 格 龙 龙格 龙 格 龙格，挥动着大刀 长 矛， 龙格龙格 龙 格，

1 1 0 | 3 1 5 35 | 65 1 1 | 5 3 5 6 5 | 2 2 0 |

洋 枪， 龙 格 龙 龙格 龙格 龙 格，挥 动着大刀 长 矛，

5 3 5 6 5 | 1 1 0 | 3 1 | 5 3 5 6 5 1 1 | 5 3 5 6 5 |

端 起了土枪 洋 枪， 龙格 龙 龙格 龙格 龙格，挥 动着 大刀

5. 6 1 1 | 3 3 5 5 | 3 1 5. 6 | 2 2 5. 6 |

保 卫 家乡！龙 格 龙 格 龙格，保 卫 黄 河！保 卫

1 2 1 6 5 3 | 5. 6 1 1 | 5 6 | 2 2 |

龙格龙格 龙格，保 卫家乡！保 卫 黄 河！

2 2 0 | 1 2 1 6 5 3 | 5. 6 1 1 | 5. 6 2 2 |

长 矛， 龙格龙格 龙格，保 卫家乡！ 保 卫黄河！

3 3 5. 6 | 3 2 1 | 1 - | 1 - |

华 北！保 卫 全 中 国！

5 6 | 3 3 | 5. 6 3 2 | 3 - |

保 卫 华 北！ 保 卫全 中 国！

5. 6 3 3 | 5. 6 5 4 | 5 - 5 / 1 - 1 - |

保 卫华 北！保 卫全 中 国！

65

17. 南湖的船，党的摇篮

电影《中国革命之歌》插曲

1=♭B 4/4

中速、稍慢

乔羽 词
时乐蒙 曲

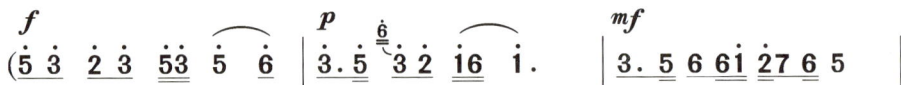

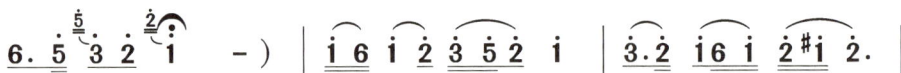

七 月 南 湖 水 涟 涟，

烟雨 楼台 雨如 烟。　水 涟 涟，

云 将 收，

波 光 闪，

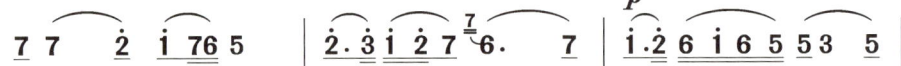

雨 如 烟。 荷花 深 处 摇来 一 只船

雾 将 散， 湖面上升 起引 航 的帆，

霞 光 闪， 伟 大的中国共产党 诞生 在 人 间，

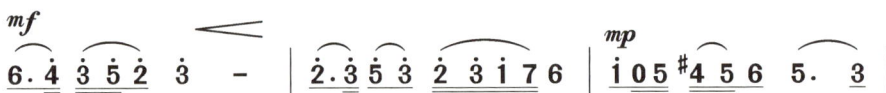

摇 来 一 只船。 啊，　　　　　啊，

引 航 的帆。

诞 生 在 人 间。

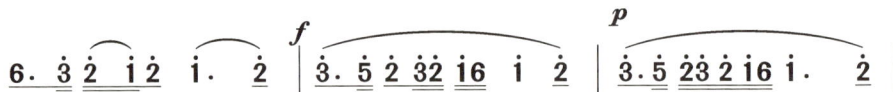

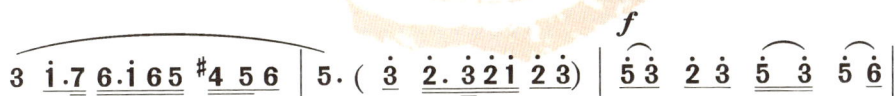

啊，　　　　　　　　　　　　南　湖的船　啊，

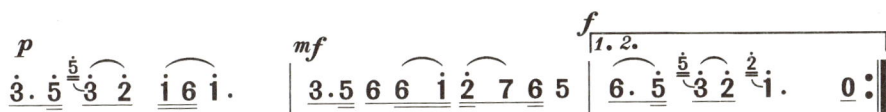

党 的 摇　篮，　　　你和人民　心　相连，心　　相　连。
　　　　　　　　　你满载着　神 州 大地　风 雨 雷　电。
　　　　　　　　　历 史 将 从　你　这 里

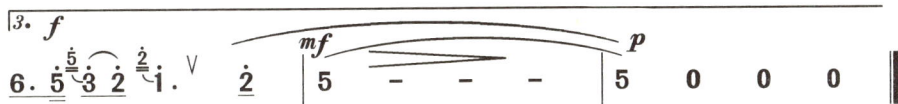

揭 开 新　篇。　嗯！

叁

天蓝色徜徉

18. 看 长 江

《江姐》江竹筠唱段

1=F 2/4

中速

阎　肃　词

时白林　曲

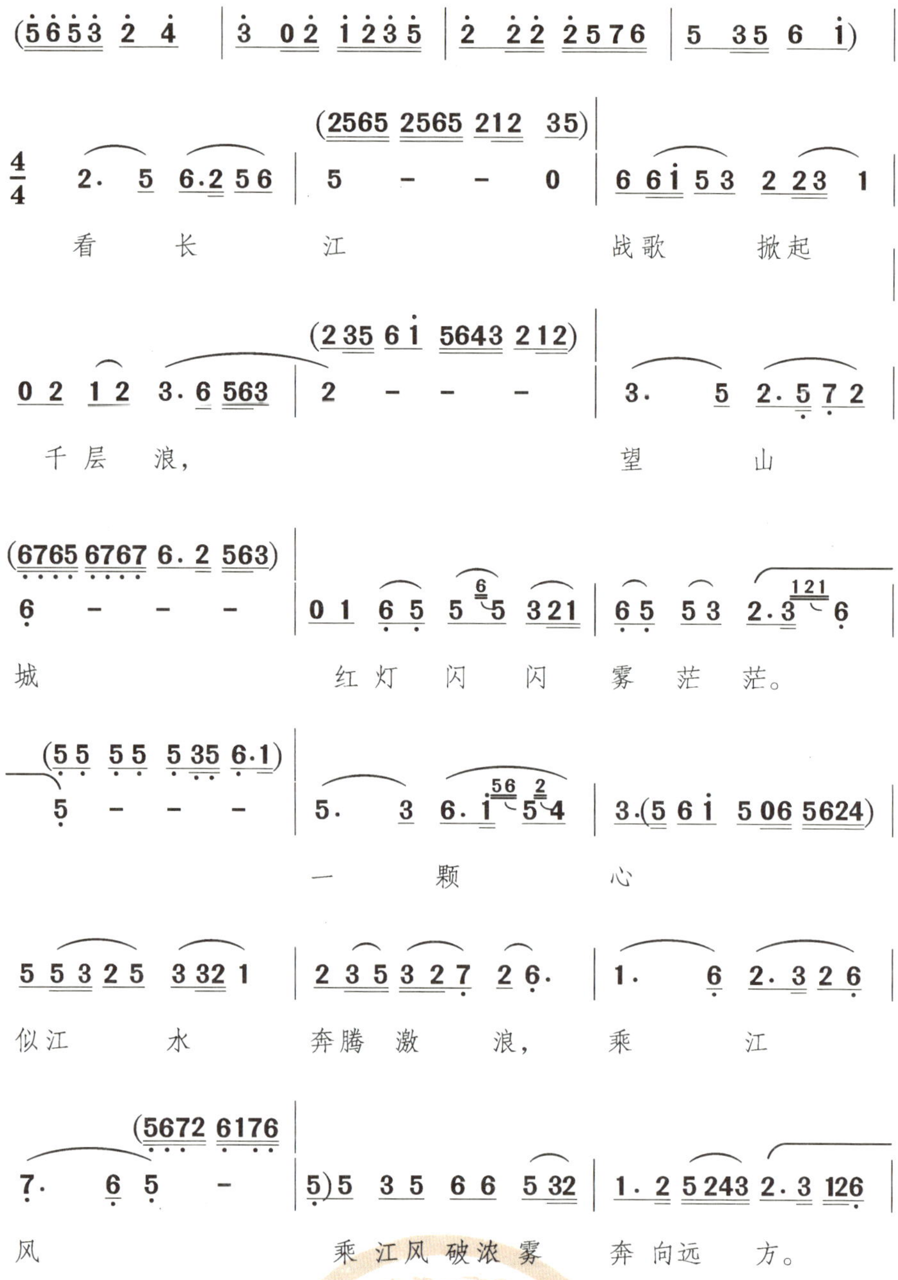

看长江，战歌掀起千层浪，望山城红灯闪闪雾茫茫。一颗心似江水奔腾激浪，乘江风乘江风破浓雾奔向远方。

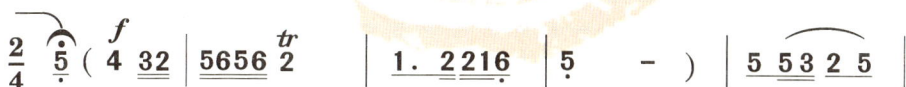

$\frac{2}{4}$ $\underbrace{\overset{\curvearrowright}{\dot{5}}}$ f (4 $\underline{32}$ | $\underline{5656}$ $\overset{tr}{2}$ | 1. $\underline{22}\underline{16}$ | $\dot5$ —) | $\underline{5}$ $\underline{53}\underline{25}$ |

飞 向

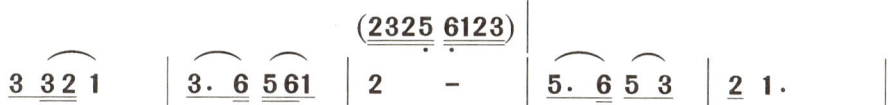

(2325 6123)

$\underline{3}$ $\underline{32}\underline{1}$ | 3. $\underline{6}$ $\underline{56}\underline{1}$ | 2 — | 5. $\underline{6}$ $\underline{53}$ | 2 1. |

高 高 华 蓥 山, 飞 向 巍 巍

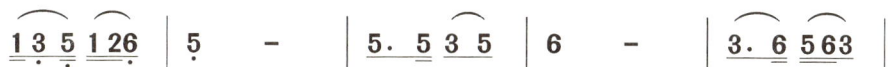

$\underline{1}$ $\underline{35}$ $\underline{12}\underline{6}$ | 5 — | 5. $\underline{5}$ $\underline{35}$ | 6 — | 3. $\underline{6}$ $\underline{56}\underline{3}$ |

青 松 岗。 岗 上 红 旗 招 手

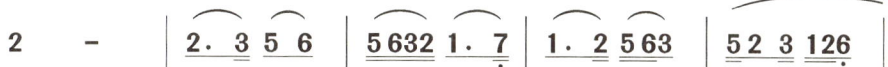

2 — | 2. $\underline{3}$ $\underline{56}$ | $\underline{5632}$ $\underline{1.7}$ | 1. $\underline{2}$ $\underline{56}\underline{3}$ | $\underline{52}$ $\underline{3}$ $\underline{12}\underline{6}$ |

笑, 唤 我 快 把 征 途 上。

渐快

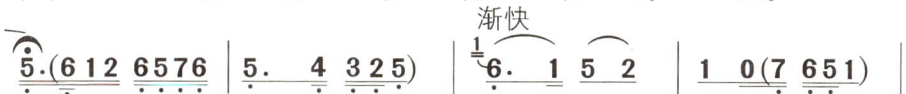

$\dot5$. ($\underline{612}$ $\underline{6576}$ | 5. $\underline{4}$ $\underline{325}$) | $\frac{1}{6}$. $\underline{1}$ $\underline{5}$ $\underline{2}$ | $\underline{1}$ $\underline{0}$($\underline{7}$ $\underline{651}$) |

上 征 途,

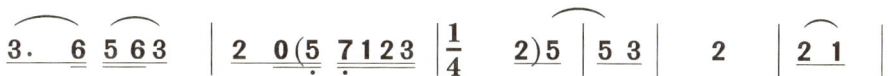

3. $\underline{6}$ $\underline{56}\underline{3}$ | 2 0($\underline{5}$ $\underline{7123}$ | $\frac{1}{4}$ 2)$\underline{5}$ | $\underline{53}$ | 2 | 2 1 |

挥 刀 枪, 巴 山 蜀 水

$\underline{6}$ $\underline{5}$ | $\underline{1}$ $\underline{2}$ | $\underline{6}$ | 5 | 0 1 | $\underline{6}$ $\underline{1}$ | 5. $\underline{2}$ | 5 |

要 解 放。 带 去 山 城

稍慢

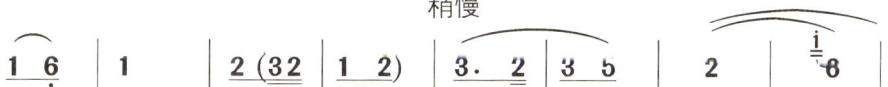

$\underline{1}$ $\underline{6}$ | 1 | 2 ($\underline{32}$ $\underline{1}$ $\underline{2}$) | 3. $\underline{2}$ $\underline{3}$ $\underline{5}$ | 2 | $\overset{\dot1}{\underline{\dot6}}$ |

星 星 火, 山 川

($\underline{5652}$ | $\underline{5652}$ | 5. $\underline{3}$ | $\underline{2}$ $\underline{35}$) |

$\underbrace{5 \quad | \quad 5 \quad | \quad 5 \quad | \quad 5}$

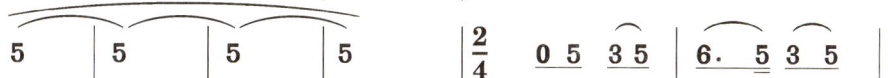

| $\frac{2}{4}$ 0 $\underline{5}$ $\underline{35}$ | 6. $\underline{5}$ $\underline{35}$ |

遍 地 腾 烈

71

水

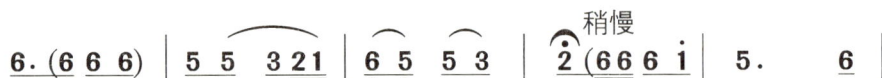
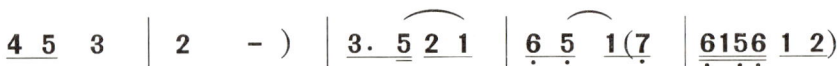
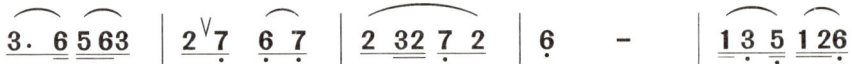
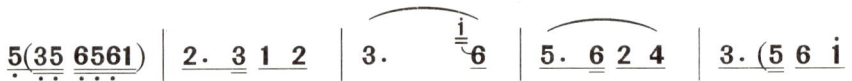
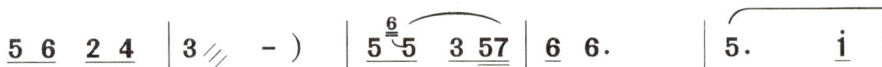
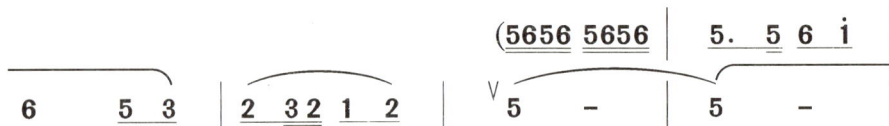
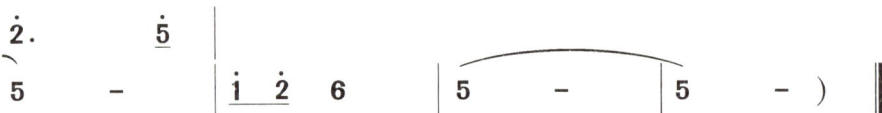

水文化教育丛书

19. 长 江 之 歌

1=♭B 4/4

胡宏伟填词
王世光 曲

中速 亲切、热情地

(3 4 ‖: 5̇ 3̇ 1̇ 5 | 6 - - 2̇3̇ | 4̇ 5̇ 4.̇ 3̇ | 3̇ - - 3̇ 4̇ |

5̇ 3̇ 1̇ 5 | 6 - - 2̇3̇ | 4̇ 5̇ 3.̇ 2̇ | 1̇ - -) 3̇ 4̇ |

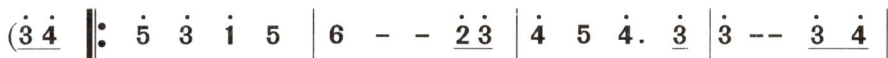

(领唱) **1.** 你 从
2. 你 从

5̇ 3̇ 1̇ 5 | 6 - - 2̇3̇ | 4̇ 5̇.5̇ 4.̇ 3̇ | 3̇ - - 3̇ 4̇ |

雪 山 走 来， 春潮 是 你 的 风 采； 你 向
远 古 走 来， 巨浪 荡涤 着 尘 埃； 你 向

5̇ 3̇ 1̇ 5 | 6 - - 2̇3̇ | 4̇ 5̇.5̇ 3.̇ 2̇ | 1̇ - - 0 |

东 海 奔 去， 惊涛 是 你 的 气 概。
未 来 奔 去， 涛声 回荡 在 天 外。

7.̣ 1̇ 2̇ 5̣.5̣ | 5̣ 7̣ 1̇ 2̇ - | 1.̇ 2̇ 3̇ 5̇1̇ 2̇ | 3̇ - - - |

(合唱)你 用 甘 甜 的 乳 汁， 哺 育 各 族 儿 女；
你 用 纯 洁 的 清 流， 灌 溉 花 的 国 土；

2.̇ 3̇ 4̇ 6̇.6̇ | 3.̇ 2̇ 2̇ - | 4.̇ 3̇2̇.2̇2̇6̇ | 5 - - 3̇ 4̇ |

你 用 健 美 的 臂 膀， 挽 起 高 山 大 海。⎫ 我 们
你 用 磅 礴 的 力 量， 推 动 新 的 时 代。⎭

赞美长江，　你是无穷的源　泉；　我们

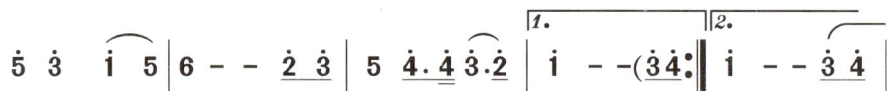

依恋长江，　你有母亲的情　怀。　怀。　啊，

长　江，　啊，　长　江。

20. 大 江 大 爱

1=G 4/4

中速、稍快　亲切、激情地

郑　南　词
戚建波　曲

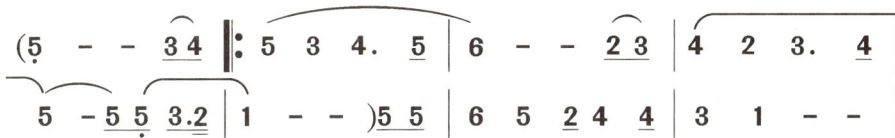

(5̣ − − 3̂4̂ ‖: 5 3 4.5 | 6 − − 2̂3̂ | 4 2 3. 4

5 − 5̣5̣ 3.2̣ | 1 − −)5̣5̣ | 6̂ 5̂ 2̂4̂4̂ | 3 1 − −

1. 是那　太阳 感动了 雪 水，
2. 是那　江风 感动了 白 鸥，

2̂5̣ 2̂ 4̂ 3.2̣ | 3 − − 5̂5̂ | 6 5 2̂4̂4̂ | 3 6̣ − −

雪水愿 奔流不 回；　是那 浪花 感动了 红 绿，
白鸥和 白云依 偎；　是那 涛声 感动了 鱼 儿，

7̣ 7̣.6̣5̣ 2̣ 3̣ | 3̣1 1 − − | 7̣. 1 2 7̂6̣ | 5̣1 2̂3̂ 2̂0̂

红 绿为两岸妩　媚。　你 的 爱 啊　浪漫着乡村，
鱼 儿和船儿相　随。　你 的 爱 啊　推动着生活，

2̂2̂ 6̣ 4̂.4̂ 4̂5̂ | 2 − − − | 3. 4 5 5 | 4̂3̂ 2̂3̂ 6̣ −

乡村才 这样青　翠；　你 的 爱 啊　蓬勃着城市，
生活才 充满回　味；　你 的 爱 啊　焕发着梦想，

2̂2̂ 2̂ 6̣.6̣ 6̂7̂ | 5 − − 5̂ | i. i̇ 2̇ i̇ | 5 − − 6

城市才 这样宏　伟。　多 情 的 大 江 水，　荡
梦想正 起伏陶　醉。　多 情 的 大 江 水，　荡

4. 1 4 5̂6̂ | 5 − − i̇ | i̇ − 6 | 4 5.6̂2̇ | − −

漾 着 人 生　美。　是 你　感 动 了 我，
漾 着 人 生　美。

5̣ 2̂ 4̂ 5̂.2̂ | 3 − − − | 3. 4̂ 5 1 | 4̂ 5̂6̂5 −

我 又 感 动 了 谁？　就 让 种 子 感 动 大 地，

75

4. 4 4 2 | 6̇ 6 - - | i̇. i̇ 7 6 | 5̲6̲ 5̲2̲ - |

大 地 结 满 金 穗；　就 让 今 朝 感 动 未 来，

[1.] (3 4 [2.]

5̣ 4 - 3.2 | 1 - - - ‖ 1 - - - | 7̣. 1 2 7̲6̲ |

万 象 生 辉。　　辉。　　　你 的 爱 啊

5̲1̲ 2̲3̲ 2 0 | 2̲2̲6̣ 4.̲4̲4̲5̲ | 2 - - - | 3. 4̲ 5 5 |

推 动 着 生 活，　生 活 才 充 满 回 味；　你 的 爱 啊

4̲3̲ 2̲3̲ 6̣ - | 2̲2̲2̲6.̲6̲6̲7̲ | 5 - - 5 | i̇. i̇ 2̇ i̇ |

焕 发 着 梦 想，　梦 想 正 起 伏 陶 醉。　多 情 的 大 江

5 - - 6 | 4.̲1̲ 4 5̲6̲ | 5 - - - | i̇ - 6 - |

水，　荡 漾 着 人 生 美。　　是 你

4 5.̲6̲ 2 - | 5̣ 2 4 5̲2̲ | 3 - - - | 3. 4̲ 5 1 |

感 动 了 我，　我 又 感 动 了 谁？　就 让 种 子

4̲ 5̲6̲ 5 - | 4. 4̲ 4 2 | 6̇ 6 - - | i̇. i̇ 7 6 |

感 动 大 地，　大 地 结 满 金 穗；　就 让 今 朝

5̲6̲ 5̲2̲ - | 5̣ 4 - 3.2 | 1 - - - | 5̇ 6̇ 7̇ - |

感 动 未 来，　万 象 生 辉。　　　万 象 生

2̇ - - - | i̇ - - - | i̇ - - - | 1 0 0 0 ‖

辉。

21. 长江水育出黄梅花

1=G 2/4

江志伟 词
时白林 曲

中快 激情地

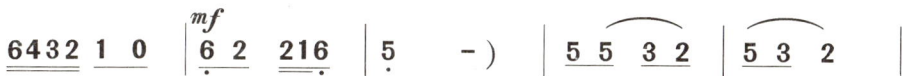

长 江　　　水
长 江　　　水

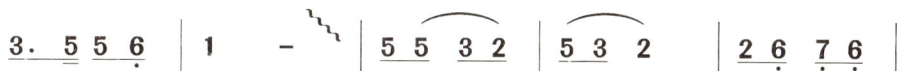

映 出振风 塔，　　长 江　　水　　育出黄梅
映 出振风 塔，　　长 江　　水　　育出黄梅

花。　　闹花 灯　闹红　一 江　　水，
花。　　天仙 配　唱彻　人 间　　美，

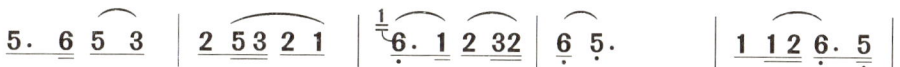

打 猪草　打绿　一 江　　坝。　欢快 的
女 驸马　唱圆　梦 中　　画。　幽幽 的

锣 鼓是 长 江的 浪，　优 美的 旋 律是
水 袖是 长 江的 水，　甜 甜的 乡 音是

长 江的 葩。　我借 那个 江 水 润　润
长 江的 葩。　我借 那个 江 水 游　四

77

$\overset{\frown}{6 \cdot \underline{5} \dot 6}$ | $\underline{0 \ 4} \ \underline{2 \ 1}$ | $\overset{\frown}{4 \cdot \underline{2} \ \underline{4 \ 5}}$ | $\overset{\frown}{6 \ - }$ | $6 \ -$ |

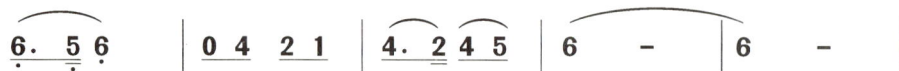

喉， 　唱 一段 长 江 颂，
海， 　踏 一条 友 谊 道，

f
$\overset{\frown}{\dot 1 \ 6 \ 5}$ | $\overset{\frown}{4 \cdot \underline{5} \ \dot 1 \ 6}$ | $5 \ -$ | $5 \cdot \ \underline{3}$ | $\underline{5 \cdot \underline{6}} \ \underline{3 \ 2}$ |

唱 一 段 黄 梅 花， 　唱 一段
送 一 段 黄 梅 花， 　送 一段

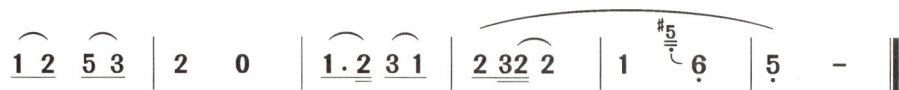

$\overset{\frown}{1 \ 2} \ \overset{\frown}{5 \ 3}$ | $2 \ 0$ | $\overset{\frown}{1 \cdot \underline{2}} \ \overset{\frown}{3 \ 1}$ | $\underline{2 \ 3 \underline{2}} \ 2$ | $1 \ \overset{\#5}{\underline{\dot 6}}$ | $\underline{5} \ -$ ‖

黄 梅 花， 　黄 梅 花。
黄 梅 花， 　黄 梅 花。

22. 珠 江 水

陈中秋 词
姚晓强 曲

1=♭A 4/4

(1 5 3432 3 - | 1 5 1 53 2 - | 1 5 3432 1 |

7 5 7 67 5 - | 6.5 6561 223 21 203 556 51 46 55653 2 |

7 67 23 5 6 76 | 5 - - -) ‖: 36 23 1 6. |

珠 江 水,
珠 江 水,

6 2 1. 6 6 3. | 36 1. 6 1 2 3 | 3 - - |

水 悠 悠, 日夜 流 过我 心 头。
水 悠 悠, 蓝天 白 云水 中 游。

3. 6 5 1 2 3. | 36 3. 2 1 2. | 76 75 3 5. 6 2 16 |

千 峰 锦 绣 绕 碧 水, 好像 银 河 落 九
汇 聚 百 船 奔 大 海, 帆彩 流 金 谱 锦

6 - - 2 1 2 | 3 - - 6 6 5 | 3 - - 1 2 |

州。 啊呀 嘞, 啊呀 嘞, 啊呀
绣。 啊呀

【1.

2. 3 5 1 6 | 6 - - - ‖: 3 - - 2 5 6 |

嘞, 啊呀 嘞。 嘞, 啊呀

【2.

1=♭B

6 - - - ‖: 5 5 32 1 23 2 5 | 1 5 1 53 2 - |

嘞。 珠江 儿 女 千 千 万,

79

$\underbrace{5}\quad \underbrace{5\ \widehat{32}}\quad \underbrace{1\ \widehat{23}}\quad \widehat{2\ \dot{5}} \mid \underbrace{\widehat{1\ 5}}\quad \underbrace{\dot{7}\ \widehat{67}}\quad 5 \quad - \mid \underbrace{1\ 2\ 3}\quad \underbrace{2\ \dot{5}}\quad \underbrace{1\ 3\ 2}\quad 2 \mid$

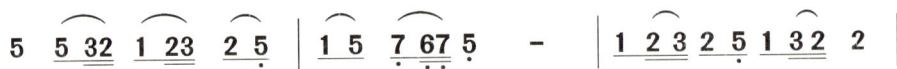

生命 之 源 长 相 守。 东方 风来春潮 涌，

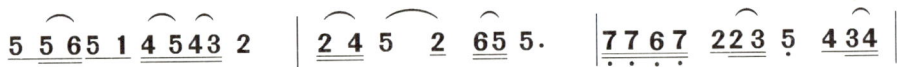

$\underbrace{5}\quad \underbrace{5\ \widehat{65}}\quad \underbrace{1\ \widehat{4}\ \widehat{543}}\quad 2 \mid \underbrace{2\ \widehat{4}\ 5}\quad 2\quad \underbrace{65}\ 5. \mid \underbrace{7\ 7\ 6\ 7}\quad \underbrace{2\ 2\ 3}\ \dot{5}\quad \underbrace{4\ 34} \mid$

赛龙 夺锦尽风 流。 啊 嘞 啊 嘞， 赛龙夺锦 尽风 流。啊呀

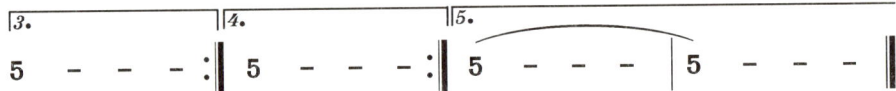

$\begin{array}{c}\text{3.}\end{array}$ $5 \quad - \quad - \quad - : \parallel \begin{array}{c}\text{4.}\end{array} 5 \quad - \quad - \quad - : \parallel \begin{array}{c}\text{5.}\end{array} \overbrace{5 \quad - \quad - \quad - \quad 5 \quad - \quad - \quad -} \mid$

嘞。 嘞。 D.S. 嘞。

23. 祝 福 三 峡

1=E 4/4 2/4 3/4

♩=88

谈炎炎 词
胡廷江 曲

3 3 3 2̌ 2 1 ｜ 1 — 3 ‖： i̇ i̇ i̇ 6. 3 ｜ 2̇. 3̇ 2̌̇ i̇. ｜

神话 里长大。　　啊，　我的三峡，　再　见吧，
那万 里彩霞。　　啊，　我的三峡，我　想　你啊，

7. 6 5 6 3 ｜ 5 — — 5 3 ｜ 6 i̇ 7 6. 6 6 ｜ 5. 4 3 — ｜

再　见,我的老家。　　在　依依不舍　的　时　刻,
想　你,我的老家。　　在　思念无比　的　时　刻,

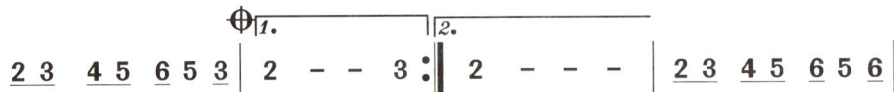

‖1.   ‖2.
2 3 4 5 6 5 3 ｜ 2 — — 3 ：‖ 2 — — — ｜ 2 3 4 5 6 5 6 ｜

让我 深情 祝福你 吧!　　啊 吧!　　早日 实现 新的 神
让我 深情 祝福你 吧!

i̇ — — — ｜ (0 1 2 3 5̣ 6̣ 1 ｜ 5 3 3 — — ｜ 2 3 2 1 3 5 i̇ 7 ｜

话!

6 7 6 5 6 7 3̌ 2 ｜ 5 — — 6 5 ｜ 6 5 6 5 6 5 6 5 ｜ 3 3 — — ｜

⊕3.
i̇ 7 6 ｜ 5) 1 2 ‖ 2 — — — ｜ 2 3 4 5 6 5 6 ｜
　　　　　　　D.S.
　　告 别 吧,　　早日 实现 新的 神

i̇ — — — ｜ i̇ — 3 ｜ i̇ i̇ i̇ 6. 3 ｜ 2̇. 3̇ 2̌̇ i̇. ｜

话!　　　啊，　我的三峡，我　想　你啊，

7. 6 5 6 3 ｜ 5 — — 5 3 ｜ 6 i̇ 7 6. 6 6 ｜ 5. 4 3 — ｜

想　你,我的老家。　　在　思念无比　的　时　刻,

2 3 4 5 6 5 3 ｜ 2 — — — ｜ 2 3 4 5 6 5 6 ｜ i̇ — — — ｜

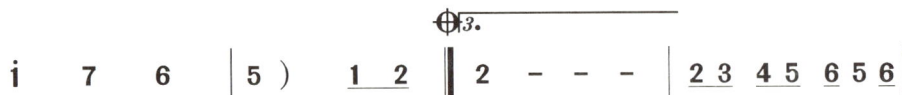

让我 深情 祝福你 吧,　　早日 实现 新的神 话!

6. 5 2 3 ｜ 3 — — — ｜ 1 — ｜ 1 — — ‖

新　的神　　　话!

24. 你好啊, 峡江

电视剧《三峡传说》插曲

1＝D $\frac{2}{4}$

马靖华 词
张丕基 曲

中速 赞美地

$$(1\underline{5}\ \underline{5653}\ |\ 1\underline{5}\ \underline{5653}\ |\ 1\underline{5}\ \underline{5653}\ |\ 2\ -\ |\ 2\underline{5}\ \underline{5653}\ |\ 2\underline{5}\ \underline{5653}$$

$$2\underline{5}\ \underline{5654}\ |\ 3\ -\ |\ 3\underline{1}\ \underline{5654}\ |\ 3\underline{1}\ \underline{5654}\ |\ 3\underline{1}\ \underline{5345}\ |\ 6\ -\ |$$

$$\underline{6\ 7}\ \underline{\dot{2}\dot{1}76}\ |\ \underline{5\ 5}\ \underline{6543}\ |\ \underline{2\ 23}\ \underline{4323}\ |\ 1\ -\ |\ 1\ -\ )|$$

1.2.

$$\overset{2}{3}\ -\ |\ 1\ -\ |\ 1\ \underline{0\ 2}\ |\ 3\ \underline{2\ 3}\ |\ \overset{23}{2.}\ \underline{7}$$

风　　　啊，　　　　你　微　微　地　　吹

$$1\ -\ |\ 1\ -\ |\ 1\ \underline{0\ 2}\ |\ 1\ \underline{7}\ \underline{6}\ |\ 7.\ \underline{5}$$

$$1\ -\ |\ 1\ -\ |\ \overset{3}{5}\ -\ |\ 3\ -\ |\ 3\ \underline{0\ 5}\ |$$

吧。　　　　船　啊，　　　你

$$1\ -\ |\ 1\ -\ |\ 3\ -\ |\ 1\ -\ |\ 1\ \underline{0\ 3}\ |$$

$$\underline{6\ 6\ 5}\ |\ 4\ \underline{3.\ 2}\ |\ 5\ -\ |\ 5\ 5\ |\ \dot{1}\ -\ |$$

慢　慢　地　走　　啊。　　　　让　那

让　那

$$\underline{4\ 4\ 3}\ |\ 2\ 1\ |\ 7\ -\ |\ 7\ 5\ |\ 3\ -\ |$$

$$\underline{\dot{1}\ 7\ \dot{2}\ \dot{1}}\ |\ 7\ \underline{6.\ 5}\ |\ 6\ -\ |\ \underline{6\ 7}\ \dot{2}\ |\ \dot{1}\ \underline{7\ 6}\ |$$

不　尽　的　长　江　水，　　在　我　的　心　上

迷　人　的　霞　　光，　　映　在　我　心

$$\underline{3\ 5}\ \underline{7\ 6}\ |\ 5\ \underline{4.\ 3}\ |\ 4\ -\ |\ \underline{6\ 5\ 4}\ |\ 6\ \underline{5\ \#4}$$

水

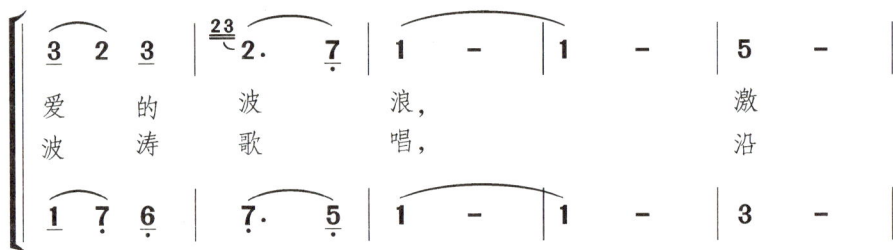

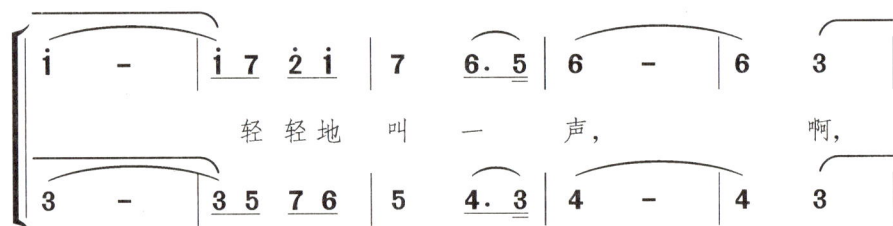

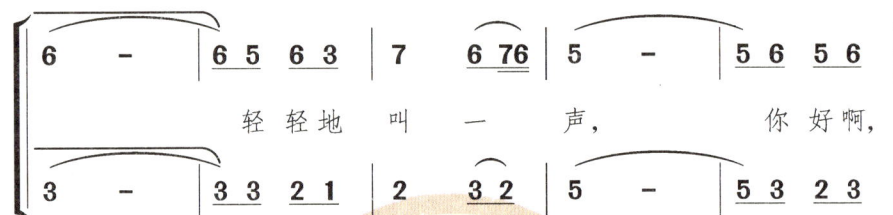

$\overline{5 \cdot 3 3}$ | $\overline{3 (34} \; \overline{5 \; \dot{1} \dot{2}} \; \overline{3) 5} \; \overline{6 \; 5}$ | $\overline{5 \cdot 3 \; 2}$ | $\overline{2 (2 2} \; \overline{5 \; 7 \dot{1}}$ |

峡　江,　　　　　你好啊,　峡　江,

$\overline{3 \cdot 2 1}$ | $1 \quad 0 \quad 0$ | $0 \; \overline{3 \; 2 3}$ | $\overline{2 \cdot 1 \; 2}$ | $2 \quad 0 \quad 0$ |

$\underline{\dot{2}) 3 \; 2 1}$ | $\overline{\underline{6 5} \; 5 0}$ | $\overline{3 \cdot \quad 5}$ | $\overline{2 \; \underline{5} \; 3}$ | $1 \quad -$ | $1 \quad -$ ‖

你好啊,峡　　江,　　峡　　江。

$0 \; \overline{3 \; 2 1}$ | $\overline{\underline{6 5} \; 5 0}$ | $\overline{1 \cdot \quad 2}$ | $\overline{\underline{7} \; \underline{5} \; \underline{6}}$ | $1 \quad -$ | $1 \quad -$ ‖

25.丽 江 行

1=A 4/4 2/4

(6. 6̲6̲ 1̇ 6̲5̲ 6̲1̲ | 3. 5̲3 — ‖: 3̇2̇ 2̇3̇ 1. 6̇ |

6̣ — — —) | 3 3̲3̲5̲3 6. ⌒5 | 3̲3̲5̲6̲1̲2̲ 2 — |

1.蜜 一样甘 甜，　　酒 一样醇 美。
2.花 一样娇 美，　　雨 一样滴 脆。

3.̲3̲5̲3 2̲3̲3̲6̲ 1 | 2.̲3̲2̲1 5̲3̲5̲6̲ 6̣ — | 1.̲1̲6̣ 1̲6̲1̲2̲3 |

丽江山水清 又 纯，多　么令人 醉。醉了蓝天,醉了白 云,
丽江山水美 如 画，多　么令人回 味。美了长江第 一 湾,

3̲2̲3̲5̲3 2.̲3̲2̲1̲2 | 3 3̲3̲5̲3̲5̲6̲7̲6̲5 | 3̲3̲5̲6̲6̲5̲3̲5̲3. |

醉　了香山柳 林 翠。飘来了玉龙山的彩云,飘来了金沙江的欢 乐。
美　了古城玉 泉 水。流来了云 海的歌声,流来了竹 乡的情 哟。

6̲6̲6̲1̲6̲1̲2̲ 5̲3̲5̲2̲2 | 3.̲5̲5̲3̲5̲6̲6̣ — | 3. 5̲6. 5 |

飘来了纳西村寨清 香的雪 茶　味。　啊,
美丽的万朵 山茶花 伴着梨 花 飞。　啊,

7.̲6 5̲6̲6̲5̲3̲5̲3. | 3.̲3̲5̲3 2.̲3̲3̲6̲1 | 2̲1̲2̲3̲5̲6̲7.̲6̇ |

啊,　　喂。丽江山水多 么 美,牵动着我的 心 儿
啊,　　喂。丽江山水多 么 美,绽放我的 心 中

1.
5.̲2̲3̲5̲6 6.̲ⱽ 5 | 6 — — — | 6 — :‖

腾 飞　啊 喂。

86

|2.

5. 2   3 5 6 | 6. 5 6   - | 3. 5   6. 5 |
蓓   蕾 啊 喂，   啊，

7.6 5 6 6 5 3 5 3. | 3.3 5 3 2 3 3 6 1 | 2 1 2 3 5 6 7   - |
啊， 啊，   喂，   丽 江 山 水 多 么 美， 牵 动 着 我 的 心

7. 6 5   - | 5. 2 3 5 6 | 6   -   - ⌄i |
儿 腾 飞   啊

2i
6 - - - | 6   -   - - | 6 - 0 0 ‖
喂。

26. 百里漓江，百里画廊

1＝A $\frac{4}{4}$

石　祥　词
刘诗召　曲

开阔　悠扬地

(6.　56 5 3　5 | 3 6 1 25 3　－ | 2.　12 1 6　3 |

2 12 1 6 6.　5 | 6　－　2 3 1　6 5 6) ‖: 6 3　3 6　2 3 2　3 |

天　　上　哟　　有
天　　上　哟　　有

1 6　2 1　6 1 6. | 6 3　3 6　2 3 2　3 | 1 6　2 1　6　－ |

一道　银　河，　　地　上　哟　　有　一条　漓　　江。
一道　长　虹，　　地　上　哟　　有　一条　漓　　江。

1　6 1　6 5　5 6 | 1 6 1 25　3　－ | 2　6.1 2 2 3 2 |

天　　上的　银河哟　　星光　灿　烂，　　地　上的漓江　哟
天　　上的　彩虹哟　　绚丽　多　彩，　　地　上的漓江　哟

3 1　2 1 6 1 0　1 6 5 | 6　－　－　－ | 5.　3 5 6　6 |

清澈　透亮　啰　哟啰里　喂。　　　　　　船　　在　水中行，
一路　风光　啰　哟啰里　喂。　　　　　　水　　清心纯净，

5 3 5 6 5　3　－ | 1　0 6 2 3　3 | 2 6　1 2 2　－ |

人在　云头　唱，　　水　　中倒影美　两岸　飘花香。
景美　精神　爽，　　爱　　洒漓江水　江长　情更长。

5.　3 5 6　6 | 6 3 5 6 6　－ | 5.　3 5 6　6 |

百　　里漓　江，　　百里画　廊，　　百　　里漓　江，
百　　里漓　江，　　　　　　　　　　百　　里漓　江，

百里　画　廊哟啰里　喂。

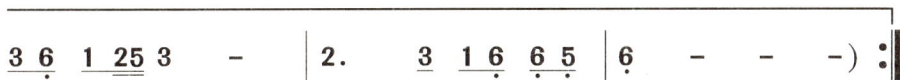

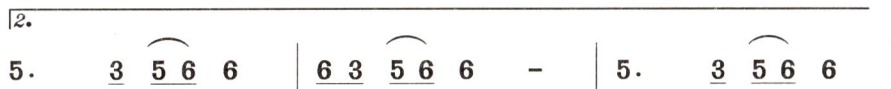

百　里漓　江，百里画廊，　　百　里漓　江，

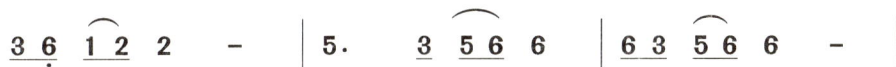

百里画　廊，　　百　里漓　江，百里画　廊，

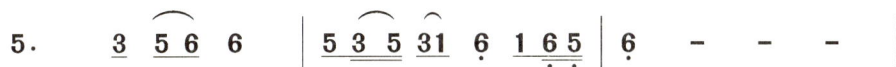

百　里漓　江，百　里　画　廊哟啰里　喂，

哟　　啰　里　喂。

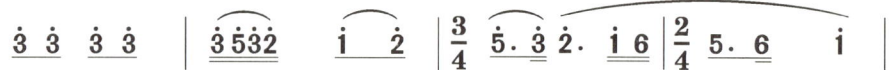

27. 山歌好比春江水

歌剧《刘三姐》选曲

柳州《刘三姐》创作组

$1 = {}^\flat B$ $\frac{2}{4}$

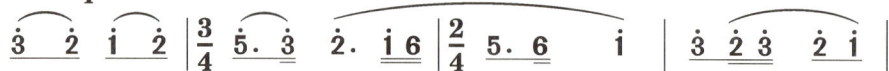

```
3 2 i 2 | 3/4 5. 3  2. i 6 | 2/4 5. 6   i | 3 2 3  2 i |
唱  山 歌 哎,                    这 边

6 5 6 i | 2 6  7 6 | 6/5  —  | 5  — |
唱  来 那 边  和。

3 3 3 3 | 3 5 3 2  i 2 | 3/4 5. 3 2. i 6 | 2/4 5. 6  i |
山 歌 好 比  春 江  水 哎,

3 2 3 2 i | 6 5 6 i | 2 6  7 6 | 5   6 i |
不 怕  滩 险 湾 又 多 啰

2 i 2 6 5 6 | 6/5  —  | 5  — ‖
湾 又  多。
```

28. 春江花月夜

1=G 2/4

古　　曲
王　健　填词

中速　从容、有韵味地

6 6 6 i 2 6	5 5.6	5 5 6 i 2	3 —

江 楼 上 独 凭　栏，　　听 钟 鼓 声　　传，

3 2 3 5 3 5	6. i 2. 3	i 2 3 2 i 6	5 5. i

袅 袅 娜 娜 散　　入 那 落 霞 斑　　斓。　一 江

6 i 2 6 i 5 2	3 —	3 6 i 5 6 5 3	2 —

春 水 缓 缓　流，　　四 野 悄 无　人，

3. 5 6 5 6 1	2 3 2 1 2 3 1	2 —	2 —

唯 有 渐 渐 袭 来 淡 淡 的 薄 雾 轻　烟。

3̣2 —	2̇ 2̇ 3̇5̇3̇2̇	i i 2 6 5	i. 3̇ 2. 3̇

看，　　　月 上 东　山，　天 宇 云 开 雾　散，

2. 3̇ 2̇ 2̇	2̇3̇5̇ 3̇5̇3̇2̇	i. 3̇ 2. 3̇	i. 3̇ i. 3̇

云 开 雾 散，光 辉 照 山　川。千 点 万 点，千 点 万

i 2̇ 3̇ 2̇ i 6	5 5.6	3. 5 6 i	5 5 i 2

点,洒 在 江　　面。　恰 似 银 鳞 闪　闪，　惊 起 了

6. i 5 4	3. 2 1 3	2 —	3 6 i 5 6 5 3

江 滩　一 只 宿　雁，　　扑 楞 楞 飞 过 了

91

水文化教育丛书

2 3 2 1 2 3 1 | 2 — | 3 — | 3 3 5 3 3 |
对面的杨柳 岸。 听， 清风

2 2 | 3 6.1 5 | 5.1 | 6 1 2 6 1 5 2 |
吹 来， 竹 枝 儿 摇， 摇 得 花 影 零

3 — | 3 6 1 5 6 5 3 | 2 — | 2 3 5 3 5 3 2 |
乱， 幽 香 飘 散。 何 人 吹 弄

1.3 2.3 | 1.3 2.3 | 1 5 6 1 | 2 — |
笛 声 箫 声， 箫 声 笛 声， 和 着 渔 歌，

2 3 5 3 5 3 2 | 1 — | 1 1 1 2 3 | 6 — |
自 在 悠 然。 欸 乃 韵 远，

6 6 1 5 | 3.3 3 5 | 3.3 3 5 | 6.1 2.3 |
飘 向 那 水 云 深 处 芦 荻 岸 边， 唯 有

1 2 3 2 1 6 | 5 5.6 | 5 5 6 1 2 | 3 — |
渔 火 点 点， 伴 着 人 儿 安 眠，

3 6 1 5 6 5 2 | 2 3 2 1 2 3 1 | 2 — | 2 — |
春 江 花 月 夜，怎 不 叫 人 流 连。

29. 清江放排

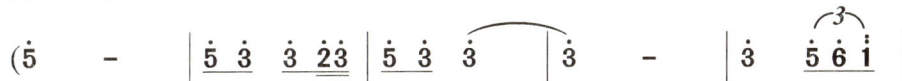

1=♭B 2/4

曾令鹏 词
胡克 曲

开阔、豪放地

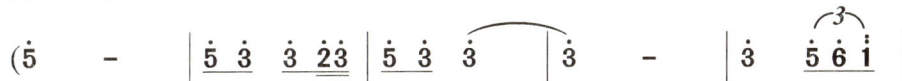

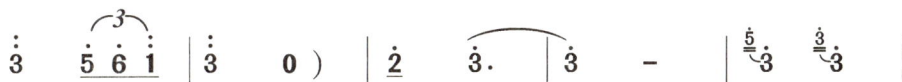

呦 嗬 呦 呦

呦 嗬 呦 嗬 呦 呦

呦 嗬 呦嗬嗬嗬 呦嗬嗬嗬

呦 嗬

阳春那个 三 月 好放

排！呦 嗬 头 排 去哒

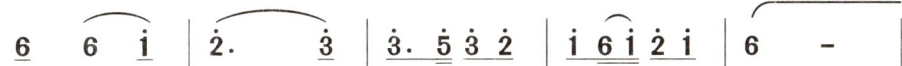

二 排 来， 头 排去哒 二 排 呦嗬 来，

幺妹 的个 山 歌 逗 人 爱，

2 2 2 3 5 5 2 | 3 − | 3 3 3 2 1 2 | 1 1· | 2· 3 1 2 |

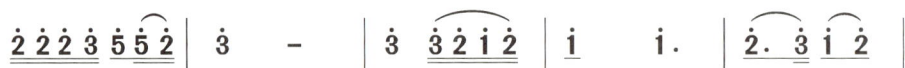

好似那个春风　哟　　扑我　怀　吧，春风

2 1 0 6 1 | 6 − 6 − | (6 5 3 | 2 3 3 2 1 2 |

扑我　哟　怀。

1 1 6 1 | 6 −) | 6 − 6 x | 5 5 5 1 |

　　　　咳　　　咳　漂过千重

2 3 | (5 5 5 1 | 2 3) | 2 2 2 1 | 6 6 1 |

岭　啰，　　　飞落百丈　崖呀哈，

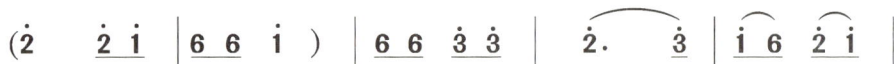

(2 2 1 | 6 6 1) | 6 6 3 3 | 2· 3 1 6 2 1 |

　　　　　　号子声声　哟　传天

6 6 | (1 6 2 1 | 6 6) ‖: 6 − 6 5 3 :‖

外　呀。　　　　　　咳　　啰，

6· 6 | 5 3 | 2 3 3 | 3 2 1 | 5 2 3 |

放　木排　哟　送　木材　吧，万座

5 6·5 5 − | 5 − 5 5 6 | 1 1 5 |

高　楼　　　　　盖　起　来！哟

6 − 6 − | 1 6 − 1 6 − 1 6 −

喂　　咳　　　咳　　　咳

1 6 − | x x | x x | x x· ‖

咳　哟　哟　哟　哟　哟　嗬！

30. 多情东江水

叶旭全 词
王佑贵 曲

1=♭B 4/4

$(\dot5 \quad \dot5.\underline{\dot5}\dot5 \quad - \mid \underline{0\,6} \ \underline{5\,6} \ \underline{\dot1.\,\dot7}\underline{6\,\dot1} \mid \dot2.\underline{\,\dot3} \ \underline{\dot1 \ 6}\underline{3} \dot5 \ - \ - \ -)$

$0 \quad \dot3 \ \underline{2\,3} \ \dot5 \ \dot5 \ \dot5 \mid \frac{2}{4} \ \dot5 \quad - \mid \frac{4}{4} \ \dot5 \ \dot6 \ \underline{5\,6} \ \underline{\dot1\,\dot7}\underline{6\,\dot1}\dot2 \mid$

(齐)啊！　东江的水，　　　　　　啊！　东　江的水，

$\frac{2}{4} \ \dot2 \quad - \mid \dot2 \ \underline{3\,2}\underline{3\,7}\underline{6\,3}\underline{5\,35} \mid \frac{2}{4} \ \dot6 \quad \dot5 \quad \dot6 \mid$

啊！东江的水,啊！东　江　的

$\frac{4}{4} \ \dot1 \quad - \quad - \quad 0 \mid\mid: \dot5 \ \underline{5\,5}\underline{2\,3}\underline{4\,3}\underline{2\,\dot1} \ - \ \underline{2\,3}\underline{5\,7}\underline{2\,6} \ \dot5 \ - \mid$

水。　(女独) 1.清 清 的 东 江水，　日夜 向　南流，
　　　　　　 2.清 清 的 东 江水，　日夜 向　南流，

$\dot1.\underline{\,2}\overset{3}{\underline{5}} \ \underline{5\,3}\underline{2\,3}\overset{3}{\underline{7}} \mid \underline{6\,\dot1}\underline{3\,3}\underline{5\,6}\underline{\dot1}\dot2. \quad \underline{3\,5} \mid \underline{7.\dot2}\underline{\dot1\,7} \ \underline{6\,7}\underline{6\,5} \ {}^{\#}\underline{4\,5}3 \mid$

流　进深　圳,流　进 流 进了港　九，　　流　进我 的 家 门
翻　过高　山,流　过 流 过了田　畴，　　流　上深 港 楼 外

$5 \quad - \quad - \quad - \mid \underline{7.\dot2}\underline{\dot1\,7} \ \underline{6\,7}\underline{6\,5} \ {}^{\#}\underline{4\,5}3 \mid 5 \quad - \quad - \quad \underline{5\,6}6 \mid$

口，　　　(齐)流　进我 的 心里 头。　　　东江的
楼，　　　　　　 流　上深 港 楼外 楼。　　　东江的

$\underline{\dot1\,6}\underline{\dot1} \ \underline{6\,\dot1}\dot2.\underline{\,4} \ \underline{3\,4}\underline{3\,2} \mid \frac{2}{4} \ \dot2 \quad - \mid \frac{4}{4} \ \underline{7\,0}\dot5 \ \underline{3\,2} \ \underline{7\,2}\underline{6\,7}6 \mid$

水，　东 江 的　水，　　　你 是祖 国引 出 的泉，
水，　东 江 的　水，　　　洗 练了东 方 之　珠，

95

1. 2 3 5 2 5 3 - | 5 5 2 3 4 3 2 1. 35 | 7.2 1 7 6 7 6 5 #4 5 3 |

你 是 同 胞　　酿 成 的 美 酒，　　一 醉 解 千
你 滋 润 了　　同 胞 亲 友，　　多 福 又 多

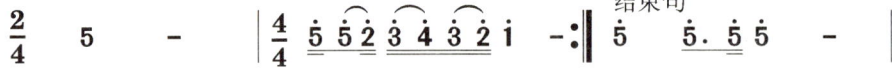

2/4 5 - | 4/4 5 5 2 3 4 3 2 1 -:‖ 结束句 5 5. 5 5 - |

秋，　　　一 醉 解 千 秋。 东 江 的 水，
寿，　　　幸 福 乐 悠 悠。

3 3. 3 3 - | 1 1. 1 1. 3 | 6 5 6 6 5 6 | 1 - - - ‖

东 江 的 水，　　东 江 的 水，啊！ 多 情 的 东 江 的 水。

31. 嘉 陵 江 上

端木蕻良 词
贺绿汀 曲

1=D 3/4

中速 悲壮地

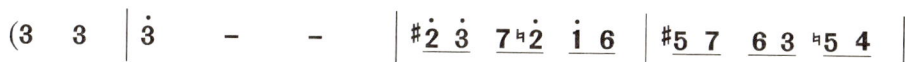

那 一 天，　　敌人 打到了我的 村

庄，　　我便 失去了 我的 田 舍、　 家人 和

牛　　　羊。　　如今我徘徊在嘉 陵 江

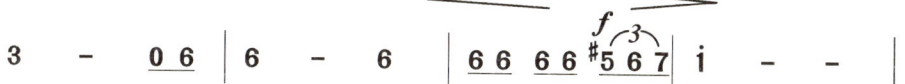

上，　　我 仿　　佛　闻到 故乡 泥土的 芳

香。　　一样的 流水，　一样的 月亮,我已 失去了 一切欢

笑　　 和梦　　想。

水

歌曲

江水 每夜 呜咽地 流　　　过，　　都　仿佛 流在 我的

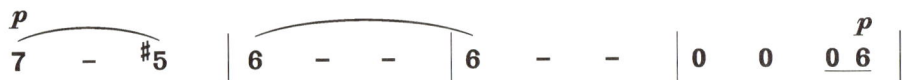

心　　　　上。　　　　　　　　　　我

必　　须　　回到 我的 家　乡，　为了那　没有 收割的 菜

花，　　和那　饿瘦 了的 羔　羊。　　我　必须 回去，从

敌人的 枪弹 底下 回去。　　我　必须 回去，从　敌人的 刺刀丛里

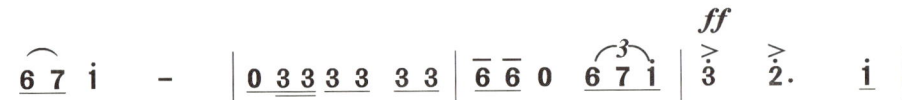

回　去。　　　　把我 打胜 仗的 刀枪，　放在我　生　长　的

地　　　　方！

32. 秋 江 曲

电影《花街》插曲

漫 影 词
李厚襄 曲

1 = F 4/4

```
5. 6 1 3 | 5 - - - | 5. 6 5 1 | 2 - - - |
```
弯 弯 羊 肠 路，　　　盼 郎 到 江 头。
落 叶 逐 水 流，　　　西 风 伴 人 愁。

```
2. 5 5 3 | 2 3 1 1 0 7 | 6. 2 1 2 6 | 5 - - - |
```
江 边 花 草 凋 萎，只 剩 下 枯　　柳。
江 南 一 片 萧 瑟，侬 把 他 等　　候。

```
0 5 - 6 | 1 2 1 - 6 | 5. 6 3 5 3 | 3 - - - |
```
天 天 渡 到 江 头 望，
去 年 离 时 答 应 我，

```
0 2 - 3 | 5 6 5 - 3 | 2. 3 2 1 2 | 2 - - 0 |
```
望 得 人 儿 已 消 瘦。
今 年 秋 天 重 聚 首。

```
0 1 1. 6 | 1. 2 3 - | 0 6 - 3 | 5. 3 5 6 5 |
```
秋 江 空 无 际，　　流 水 长 悠 悠。
盼 到 秋 风 起，　　依 旧 无 消 息。

```
5 - - 5 | 6. 5 1 3 | 2 1 2 - 1 | 6. 3 2 1 6 5 |
```
望 到 夕 阳 落，不 见 有 归
江 面 白 茫 茫，泪 珠 共 水

```
1 - - - | 1 0 0 0 ‖
```
舟。
流。

水
歌曲

水文化教育丛书

33. 乌苏里船歌

郭颂 胡小石 词
汪云才 郭颂 曲

1=♭A 6/8 2/4

稍慢 自由地

mf *f* *tr*

5 — 5 6 5 3 5 6 1 2 3 5 — 5 1 6 5 3 5 3 5 1 6 2 — 2 3 2 1 6 5 6 5 #4

#4 7 5 6 5 5 — 5 0） 5 6 6 6 5 5 5 5. 5.

mf 7 *pp* 回声

1 2 2 2 1 1 1

啊 朗 赫赫 呢哪 啊 朗 赫赫 呢哪

1. 1. 5 6 6 6 5 5 5 3 5 2 2 2 1 1 1 6

mf 7

啊 朗 赫赫 呢 哪 赫赫 雷 赫赫 呢哪

5 1 1 5 3 3 3 2 1 1 5 0 5 6 1 2 3 1. 1.

啊 朗 赫赫 呢哪 赫雷 给 根。

5 6 6 6 5 5 3 5 2 2 2 1 1 7 2 1 7 2 1 5

7 渐还原 3

‖: 1 5 1 3 6 5 3 1 1 5 1 3 6 5 3 1） 5. 1 3 5 2

1. 乌 苏 里
2. 白 云
3. 白 桦

1 3 5 6. 5 3 5 2 3 5. 0 5 6 1 3 5 1 3 6 5

江 来 长 又 长， 蓝 蓝 的 江 水
飘 过 大 顶 子 山， 金 色 的 阳 光
林 里 人 儿 笑， 笑 开 了 满 山

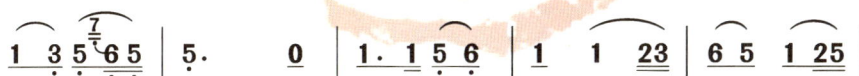

起波　浪。　　　赫哲人　撒开　千张
照船　帆。　　　紧摇　桨来　掌稳
红杜　鹃。　　　毛主席　领上　幸福

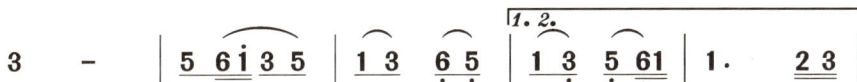

网，　　船儿　满江　鱼满　舱。　啊朗
舵，　　双手　赢得　丰收　年。　啊朗
路，　　人民　的　江山

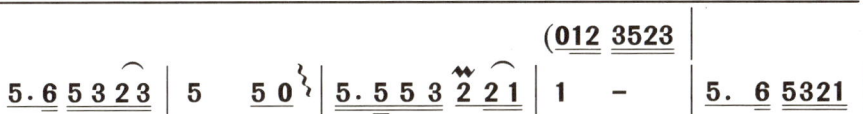

赫拉赫呢哪　雷呀　赫拉哪呢赫呢　哪。
赫拉赫呢哪　雷呀　赫拉哪呢赫呢　哪。

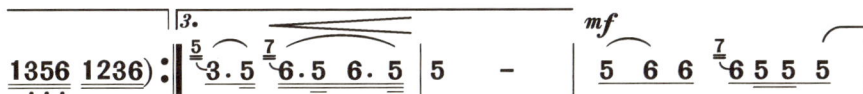

万　万　　年。　　啊　朗　赫赫呢　哪

啊　朗　赫　赫呢　哪

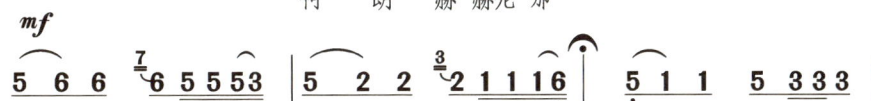

啊　朗　赫赫呢哪　赫　雷赫赫呢哪　啊　朗　赫赫呢哪

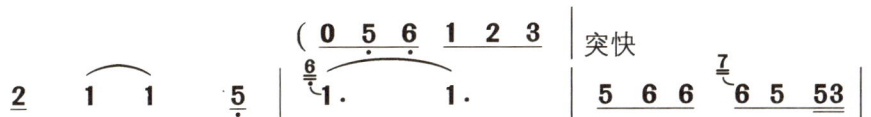

赫　雷　给　根。

渐还原　　　渐还原

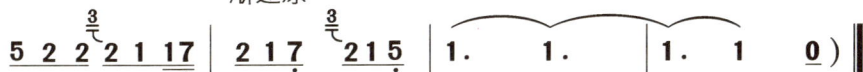

34. 松花江上

张寒晖　词曲

1=♭E　3/4

中速
mp

1. 3 5 - | i i.5 6.5 | 6 5 - | 1 2 3 - |
我 的家　　在 东北松花 江 上，　那里有

6 i 5 | 3 - - | 2 1 2 - | 6 i 5 |
森 林煤 矿，　　还有那　　漫 山 遍

4.3 2.1 3.2 | 1 - - | 1. 3 5 - | i i.5 6.5 |
野 的大 豆高 粱。　　我 的家　　在 东北松花

6 5 - | 1 2 3 - | 6 i 5 | 3 - - |
江 上，　　那里有　　我 的 同 胞，

2 1 2 - | i 7.6 5 | 4 3 2. 3 | 1 - - |
还有那　　衰 老的爹　　　娘。

i 7 6 - | 2̇ i 5 - | 6 6.3 2 | 2 3 i 7 |
"九 一八"，　"九 一八"，　从 那个悲 惨的时

6 - - | i 7 6 - | 2̇ i 5 - | 6 6 3 2 |
候，　　"九 一八"，　"九 一八"，　从 那个悲

2 3 1 7 | 6. - - | 6 6.7 6.5 | 6 6 |
惨 的时 候，　　脱 离了我的 家 乡，

3 5 5.6 | i 6765 | 6 - 3 | 2 - 3 |
抛 弃 那 无尽的宝 藏， 流 浪！ 流

2 - 3 | 5 i 6 | 532 - | 3 2 - |
浪！ 整 日 价 在 关 内， 流 浪！

3 6 - | 3 5 - | 5.6 i - | 6765 6 |
哪 年， 哪 月， 才 能够 回到我那可

6 7 2 - | 5 - - | 3 6 - | 3 2 - |
爱的 故 乡？ 哪 年 哪 月，

5.6 i - | 6765 3 | 232 - | i - - |
才 能够 收回我那无 尽的宝 藏？

3 - 2 i | 6 - - | 2 - i 6 | 5 - - |
爹 娘 啊， 爹 娘 啊，

3 6 - | 3 5 - | 56 3.2 | 3 6 i i | i - - ‖
什 么 叶 候， 才 能 欢聚 在 一 堂？

肆 土黃色遐想

35. 我爱五指山，我爱万泉河

1 = F 2/4

郑 南 词
刘长安 曲

中速

流畅地

我 爱 五 指 山， 我 爱

万 泉 河。 双手 接 过 红军的

钢 枪， 海 南 岛 上 保 卫 祖 国。 啊，

五 指 山， 啊，

万 泉 河， 你 传 颂 着 多 少 红军的

4 5 2 | 0 3 2 1 2 | 5. 5 | 3 3 3 2 1 2 | 1 - |

故 事， 你 日 夜 唱 着 红 军 的 赞 歌。

稍快

‖: (0 5 1 3 5 | 6. 1 | 5 - | 5. 3 2 1 2 | 1 5 5 5 5

5 1 2 3 2 3 4) | 5 6. 1 | 5 - | 6. 5 3 5 | 2 3 1 6 |

1. 我 爱 五 指 山 的 红 棉
2. 我 爱 万 泉 河 的 清 泉

5 - | 5 1 | 6. 1 | 4 6 5 4 | 3 2 3 5 |

树， 红 军 曾 在 树 下 点 篝
水， 红 军 曾 用 河 水 煮 野

2 - | 2 1 | 6 - | 1. 6 5 1 | 6 5 6 5 |

火。 我 爱 五 指 山 的 红 石
果。 我 爱 万 泉 河 的 千 重

3 - | 3 5 | 1. 2 | 3. 5 6 1 | 6 5 6 |

岩， 红 军 曾 在 石 上 把 刀
浪， 红 军 在 这 里 把 敌 人 赶 下

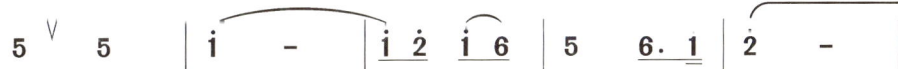

5 5 | 1 - | 1 2 1 6 | 5 6. 1 | 2 - |

磨。 我 爱 红 军 走 过 的 路，
河。 万 泉 河 流 水 向 大 海，

2 1 6 5 6 | 5. 3 | 2 - | 6 1 | 5 3 2 1 2 |

我 沿 着 山 路 上 哨
我 沿 着 河 边 去 巡

107

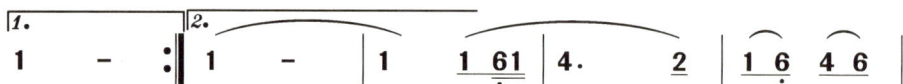

所。　　　逻。　　　啊，　　　　五　指

渐慢

山，　　　　　啊，　　　万　泉　河，

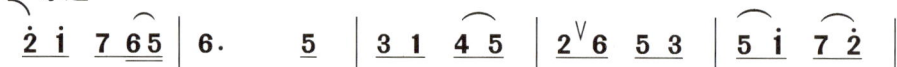

原速

红　色　的　江　山　我　们　保　卫,红军的　钢　枪

永　在　手　中　握。

36. 小 河 淌 水

1=B $\frac{2}{4}$ $\frac{3}{4}$ $\frac{4}{4}$

云南民歌

慢 思念地

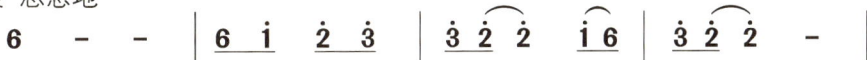

1.哎！　　月亮 出来 亮汪 汪，　亮汪
2.哎！　　月亮 出来 照半 坡，　照半

汪，　　想起 我的 阿哥 在　　　深
坡，　　望见 月亮 想起 我（尼）　阿

山。　　哥 像 月亮 天上 走，　天上
哥。　　一 阵 清风 吹上 坡，　吹上

走，　　哥 啊，哥 啊，　　哥
坡，　　哥 啊，哥 啊，　　哥

啊！　　山下 小河 淌水 清　　　悠
啊！　　你可 听见 阿妹 叫　　　阿

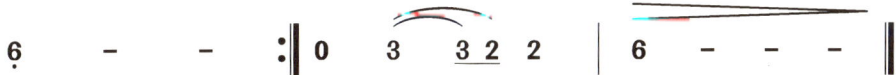

悠。　　　哎！　阿　哥！
哥？

37. 又唱浏阳河

1=♭A 4/4 2/4

郭天柱 词
邓东源 曲

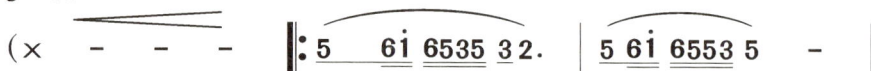

♩=58

(× － － － ‖: 5 6i̅ 6535 32. | 5 6i̅ 6553 5 － |

（伴）啊　　　　　　啊

i̅.6 5 6i̅ 6 32 1 | 6661 216 5. ∨ 53 | 2.223 236 5 6561 |

5 － － －) | 2 5 3 2 1 2. 32 | 5.6 1 2 3 2 － |

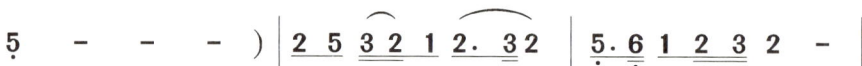

1.（独）家乡有　支歌，　　一支流蜜的歌。
2.（独）神州有　支歌，　　一支幸福的歌。

2 0 5 5 33 32 1 | 666 323 6 5. 56 | 1 1 6i 2326 1 |

你　唱过,我也唱　过,千家万户都　唱过。它　染绿　过　湘江水,
你　唱过,我也唱　过,千家万户都　唱过。它　沸腾　过　千座山,

2 2 5 321 2∨ 12 | 4.44 12 45 4. | 6.666 26 5 － | *mf*

映红过洞庭波。它　流入湘江　奔大海,　歌声飞遍全中国。
激荡过万条河。它　载着家乡　奔世界,　情比河水韵更多。

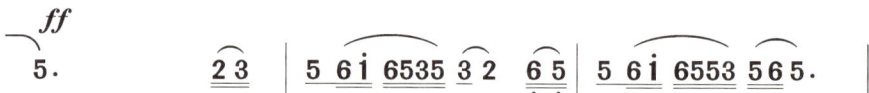

ff
5. 23 | 5 6i̅ 6535 32 65 | 5 6i̅ 6553 565. |

啊,　浏阳　河,　啊,　浏阳　河,
啊,　浏阳　河,　啊,　浏阳　河,

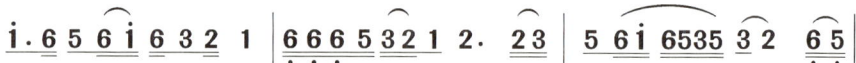

i̅.6 5 6i̅ 6 32 1 | 6665 321 2. 23 | 5 6i̅ 6535 32 65 |

你是一支　流蜜的歌,永远温暖我　心窝。啊,　浏阳　河,　啊,
你是一支　幸福的歌,鼓励我们去　开拓。啊,　浏阳　河,　啊,

5 6i 6553 565. | i.6 5i6 321 | 6.66 i2i6 5. 53 |

浏阳 河， 你是一支 甜蜜的歌，永 远温暖我 心 窝。

浏阳 河， 你是一支 流芳的歌，鼓 励我们去 开 拓。

2.223 23 6 5 0 6561 | 5 — — 5 23 :|

1. 2.

D.C.

永 远温暖我 心 窝。 依呀依子 哟！ 啊！

鼓 励我们去 开 拓。 依呀依子 哟！

独 | **结速句**

5 — 5 6i 6535 | 3 2. 5 6i 6553 |

哟！ 浏 阳 河， 浏阳 河，

（伴） 5 6i 6532 3 2. | 5 6i 6553 5 — |

浏阳 河， 浏阳 河，

5.6 5i6 321 | 6665 321 2 — | 2 0 5 6i6535 |

你 是一支 幸福的歌，鼓励我们去 开拓。 浏阳

i.6 5i6 321 | 6665 321 2.3 | 5 6i6535 3 2. |

你 是一支 幸福的歌，鼓励我们去 开拓。 浏阳 河，

3 2. 5 6i 6553 | 5.6 5i6 321 | 6 6i i2i6 5. 53 |

河， 浏阳 河， 你是一支 幸福的歌，鼓励我们去 开 拓。

5 6i 65535 — | i.6 5i6 321 | 6 6i i2i6 5. 53 |

浏阳 河， 你是一支 幸福的歌，鼓励我们去 开 拓。

水

```
2. 2 2 3   2 3 6   5   6 5 6 1 | 5   -   -   -  |
鼓 励 我 们  去 开 拓，  依 呀 依 子   哟！

2. 2 2 3   2 3 6   5   6 5 6 1 | 5   -   -   -  |
鼓 励 我 们  去 开 拓，  依 呀 依 子   哟！

                              f                    mp
6 5 6 1 1  -  | 5   -   -   -   5   -   -   0 |
依 呀 依 子      哟！

                                                   mp
6 5 6 1 1  -  | 5   -   -   -   5   -   -   0 |
依 呀 依 子      哟！
```

38. 运 河 之 歌

电视连续节目《话说运河》主题歌

1=G 6/8

任卫新 词
王世光 曲

深情地

| 3.   1 5̣ | 3.   1. | 3 4 3   2 5̣ |

时 光　　流 转，　日 月　穿

| 2.   2. | 2.   6̣ 5̣ | 2.   5̣ |

梭。　　　运　河　唱　着

| 2 3 2 1 5 6 | 3.   3. | 5̣   3 5̣ |

神 州 古 歌。　　　两　岸

| 5.   3 1 | 2 3 4 5 6 | 6.   6. |

风　　光，　一　路 传　说，

| 6 5 4   3. | 5 4 3   2. | 4 3 2   2̣ 5̣ 6̣ |

几 多 曲 折，　几 多 苦 涩，　几 多　欢

| 1.   1. | 6̣   4 1 | 6̣   4 |

乐……　　　历　史 的　长　河，

| 6̣ ♭7̣ 6̣ 5̣   1 | 5.   5. | 5̣   3 5̣ |

生 命 的 长　河，　　　中　华

| 5.   3. | 2 3 4 5 i | i.   i. |

民　族　源 远 流 长 的　歌。

113

39. 汾河流水哗啦啦

电影《汾水长流》主题歌

乔 羽 词
高如星 曲

1=G 2/4

♩=68

(0 1 2 | 3 - | 5 2316 | 1 2. |

3 1 2 6 1 5 | 6 3 | 3 - | 2 1 2. 5 |

5 - | 3 5 6 3 | 5 2 3 6 | 5 6 |

2 - | 1 2 3 | 3 - | 3 - |

3 2 3 5) ‖: 6. 1 7 6 5 3 | 6.5 3 5 2. 3 | 5. 7 6 4 3 2 |

汾 河 流 水 哗 啦
夸 的 是 汾 河 好 庄

1 - | 3. 5 7 6 5 | 3 7 2 3 5. 3 | 6 2 3 1.2 7 6 |

啦， 阳 春 三 月 看 杏
稼， 喜 的 是 咱 们 前 程

5 - | (3 5 2 | 3 7 6 5 | 6.3 5 6 2.3 7 6 |

花。
大。

114

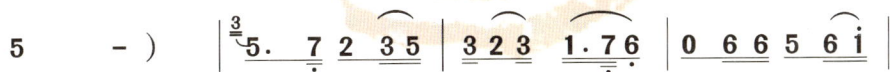

5 $-$) | $\underline{5.}\ \underset{\cdot}{7}\ \underline{2}\ \underline{3}\ \underline{5}$ | $\underline{3}\ \underline{2}\ \underline{3}\ \underline{1.}\ \underline{7}\ \underline{6}$ | $0\ \underline{6}\ \underline{6}\ \underline{5}\ \underline{6}\ \dot{1}$ |

待 到 五 月 杏 儿 熟， 大 麦 小 麦

千 家 万 户 一 条 心， 万 马 奔 腾

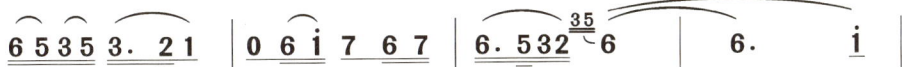

$\underline{6}\ \underline{5}\ \underline{3}\ \underline{5}\ \underline{3.}\ \underline{2}\ \underline{1}$ | $0\ \underline{6}\ \dot{1}\ \underline{7}\ \underline{6}\ \underline{7}$ | $\underline{6.}\ \underline{5}\ \underline{3}\ \underline{2}\ \underline{6}$ | $6.$ $\dot{1}$ |

又 扬 花。 九 月 那 个 重 阳

朝 前 跨。 人 心 那 个 就 像

$3.\ \underline{5}\ \dot{6}\ \dot{1}\ \underline{3}$ | $\underline{5}\ \underline{4}\ \underline{3}\ \underline{5}\ \underline{2}$ | $0\ \underline{3}\ \underline{6}\ \underline{1}\ \underline{7}\ \underline{6}$ | $\underline{5.}\ \underline{6}\ \underline{7}\ \underline{5}\ \underline{3.}\ \underline{2}\ \underline{1}$ |

你 再 来， 黄 澄 澄 的 谷 穗

汾 河 水， 你 看 那 滚 滚 长 流

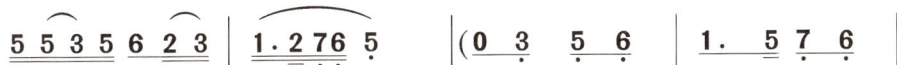

$\underline{5}\ \underline{5}\ \underline{3}\ \underline{5}\ \underline{6}\ \underline{2}\ \underline{3}$ | $1.\ \underline{2}\ \underline{7}\ \underline{6}\ \underline{5}$ | ($0\ \underline{3}\ \underline{5}\ \underline{6}$ | $1.\ \underline{5}\ \underline{7}\ \underline{6}$ |

好 像 是 狼 尾 巴。

日 夜 向 前 无 牵 挂。

$\underset{\cdot}{5}$ $-$ | $3.\ \dot{1}\ \underline{7}\ \underline{6}\ \underline{3}$ | 5 $-$) | $0\ \underline{6}\ \dot{1}\ \underline{7}\ \underline{6}\ \underline{7}$ |

九 月 那 个

人 心 那 个

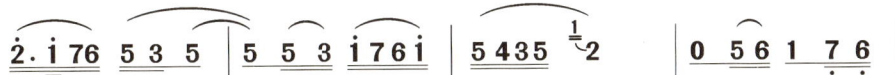

$2.\ \dot{1}\ \underline{7}\ \underline{6}\ \underline{5}\ \underline{3}\ \underline{5}$ | $\underline{5}\ \underline{5}\ \underline{3}\ \dot{1}\ \underline{7}\ \underline{6}\ \dot{1}$ | $\underline{5}\ \underline{4}\ \underline{3}\ \underline{5}\ \underline{2}$ | $0\ \underline{5}\ \underline{6}\ \underline{1}\ \underline{7}\ \underline{6}$ |

重 阳 你 再 来， 黄 澄 澄 的

就 像 汾 河 水， 你 看 那

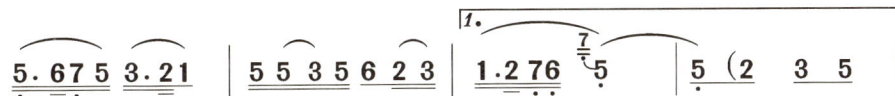

$\underline{5.}\ \underline{6}\ \underline{7}\ \underline{5}\ \underline{3.}\ \underline{2}\ \underline{1}$ | $\underline{5}\ \underline{5}\ \underline{3}\ \underline{5}\ \underline{6}\ \underline{2}\ \underline{3}$ | $1.\ \underline{2}\ \underline{7}\ \underline{6}\ \underset{\cdot}{5}$ | $\underset{\cdot}{5}$ ($2\ \underline{3}\ \underline{5}$ |

谷 穗 好 像 是 狼 尾 巴。

滚 滚 长 流 日 夜 向 前 无 牵

6 $\dot{1}$ | $\underline{3}\ \underline{2}\ \underline{3}\ \underline{2}\ \dot{1}$ | $7.\ \underline{6}\ \underline{7}\ \underline{5}$ | $\underline{5}\ \underline{4}\ \underline{3}\ \underline{2}\ \underline{1}\ \underline{7}$ |

水

歌曲

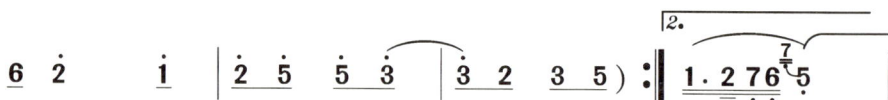

挂。

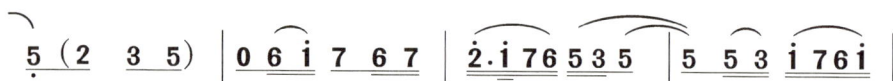

人 心那个就 像 汾 河

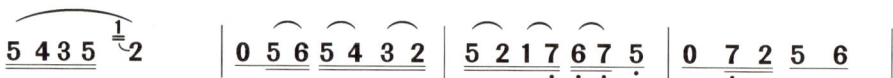

水，　　你看那 滚滚长流 日夜向前

无 牵
挂。

40. 父亲的草原母亲的河

席慕容　词
乌兰托嘎　曲

1=E 6/8

父　亲　曾　经　形　容草　原的景
如　今　终　于　见　到这　辽阔　大

象，　　　让　他在天　涯　海角也　从不能
地，　　　站　在芬　芳的　草原上　我泪落

相　忘。　　　　　母亲　总　爱
如　雨。　　　　　河水　在

描绘那　大河的　浩荡，　　奔流　在
传唱着　祖先的　祝福，　　保　佑

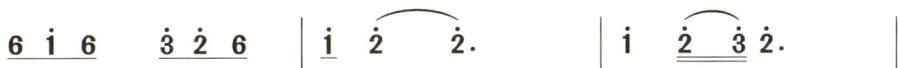

蒙古　高原　我　遥　远的家　乡。
漂泊的孩　子，　找　到　回家的　路。

啊！　　　　　父亲的　草

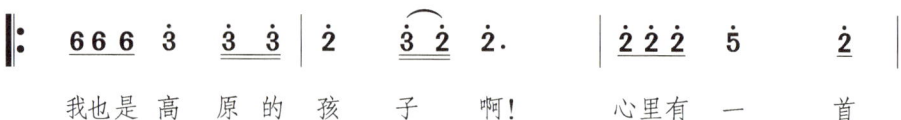

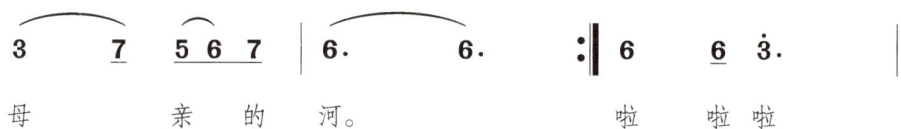

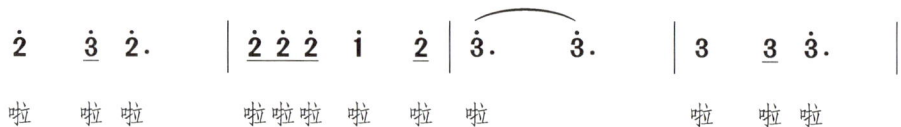

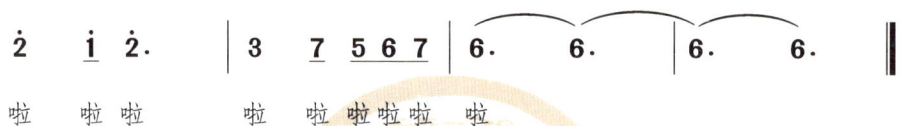

3.   3. | 6   3 2   2. | i   6   2 i 2 |
原，   啊 哈 哈 哎！   母   亲 的

3.   3. | 3 3 3   3. | 2   3 i. |
河。   虽然 已 经   不   能 用

3 3 i   6   5 | 6   5 6 3. | 2 2 3   6   6 |
不 能 用 母   语 来 诉 说，   请 接 纳 我   的

5   6 2. | 3   7 5 6 7 | 6.   6. :‖
悲   伤，   我   的 欢   乐。

‖: 6 6 6   3   3 3 | 2   3 2   2. | 2 2 2   5   2 |
我 也 是 高 原 的   孩   子   啊！   心 里 有 一   首

3.   3. | 3 3 3   3. | 2   2 2 i   2. |
歌。   歌 中 有 我   父   亲 的 草 原

3   7 5 6 7 | 6.   6. :‖ 6   6 3. |
母   亲 的 河。   啦   啦 啦

2   3 2. | 2 2 2   i   2 | 3.   3. | 3   3 3. |
啦   啦 啦   啦啦啦 啦 啦 啦   啦   啦 啦

2   i 2. | 3   7 5 6 7 | 6.   6.   6.   6. ‖
啦   啦 啦   啦   啦 啦啦啦   啦

41. 塔里木河

1 = A 2/4

♩ = 80

陈克正 词
克里木 曲

$\underline{6 \dot 6} \dot 6 \underline{\dot 6 4}$ | $3 \quad \underline{1 \ 2}$ | $\underline{3 \ 3} \ \underline{\dot 2 \ 1} \ \dot 7$ | $1 \quad -$ |

塔 里 木 河　　呀　　　　故 乡　　的　　河，
当　我 骑　　着　　骏 马　天 山　　巡　　逻，

$\underline{6 \dot 6} \dot 6 \underline{\dot 6 4}$ | $3 \quad \underline{1 \ 2}$ | $\underline{3 \ 2} \ 1 \ \dot 7$ | $\dot 6 \quad -$ |

多 少 回 你　　从　　我 的　　梦 中　　流　　过。
好　　像 又 在　　你 的　　怀 里　　轻 轻　　颠　　簸。

$\underline{6 \dot 6} \dot 6 \underline{\dot 6 4}$ | $3 \quad \underline{1 \ 2}$ | $\underline{3 \ 3} \ \underline{\dot 2 \ 1} \ \dot 7$ | $1 \quad$ |

无 论　我　　在　　什么　　地　　方，
当我　穿　　过　　炽热的　　沙　　漠，

$\underline{6 \dot 6} \dot 6 \underline{\dot 6 4}$ | $3 \quad \underline{1 \ 2}$ | $\underline{3 \ 2} \ 1 \ \dot 7$ | $\dot 6 \quad -$ |

都 要　向　　你 倾诉　心 中　　的　　歌。
你 又　流　　进 了　　我 的　　心 窝　　窝。

$\underline{6 \dot 6} \dot 6 \dot 6$ | $\underline{\dot 6 \dot 6} \dot 6 \dot 6$ | $\underline{\dot 6 \dot 6} \ \dot 7 \ \underline{1 2 7 1}$ | $\underline{7 \ 1 7 5} \ \dot 6$ |

塔 里 木 河，　故 乡 的 河，　我 爱 着 你 呀，　美 丽 的 河。

$\underline{6 \dot 6} \dot 6 \dot 6$ | $\underline{\dot 6 \dot 6} \dot 6 \dot 6$ | $\underline{\dot 6 \dot 6} \ \dot 7 \ \underline{1 2 7 1}$ | $\underline{7 \ 1 7 5} \ \dot 6$ |

你 拨 动 着　　悠 扬 的 琴 弦，　伴 随 我 唱 起　欢 乐 的 歌。

$6 \quad -$ | $6 \quad -$ | $3 \quad \underline{5 \ 4 3}$ | $2 \quad 6$ |

哎!　　　　　塔　　里 木　　河，

水文化教育丛书

$5\underline{4}\ \underline{3}\ \underline{2}\ \underline{3}\ \underline{4}\ 6\ |\ 3\ -\ |\ 3\ -\ |\ \underline{2}\ \underline{2}\ \underline{1}\ \underline{2}\ 3\ |\ \underline{2}\ \underline{1}\ \underline{7}\ \underline{6}\ \underline{7}\ \underline{5}\ |$

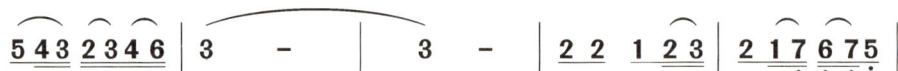

故　乡　的　河，　　　　你用乳汁　把我养育，
　　　　　　　　　　　　　紧握钢枪　保卫你，

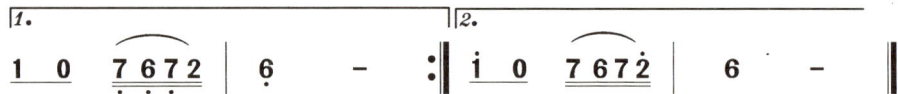

1.
$1\ 0\ |\ \underline{7}\ \underline{6}\ \underline{7}\ \underline{2}\ |\ \underline{6}\ -\ :\|$

母　亲　　河！

2.
$\dot{1}\ 0\ |\ \underline{7}\ \underline{6}\ \underline{7}\ \dot{2}\ |\ 6\ -\ \|$

母　亲　　河！

42.巴比伦河

1=G 4/4

美 国 歌 曲
火尔 力成译配

中速 开阔、激情地

```
0  5̣  1  2 | 3  -  -  - | 3  5̣  1  2 |
```
Mm(姆)   Mm

```
3  -  -  - | 3  3  4  3 | 2  -  -  - |
```
　　　　　　Mm

```
2  2  2  3 | 2  -  1  - | 1  5̣  1  2 |
```
Mm   Ah(呵)

```
3  -  -  - | 3  5̣  1  2 | 3  -  -  - |
```
Ah

```
3  3  4  3 | 2  -  -  - | 2  2  2  3 |
```
Ah   Ah

```
2  -  1  - | 1  5̣  5̣  1  1  2 ‖: 3  3  3  3  0 |
```
By the ri-ver sof Ba by-lon,
我 心 上 的 河 巴 比伦，

```
0  5̣  1  2 | 3  -  -  - | 0  3  4  3 |
```
there we sat down,　　　　Yeah, we
在 你 身 旁，　　　　我 低 声地

121

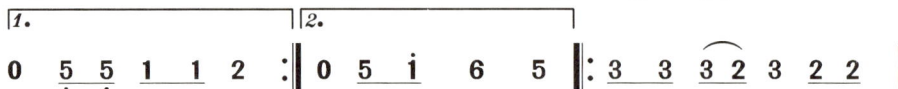

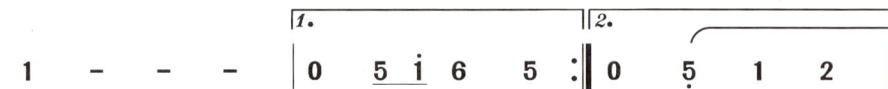
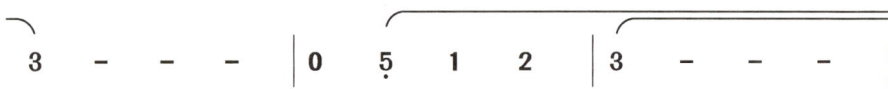

| 5̣ | − | 5̣ 5̣ | 5̣ 5̣ | 1 | 1̆ 1̆ 1 | 1̆ 4̆ | 5̣ | − | 5̣ | 5̣ |

hearts　　and the med - sa - tions of our-　hearts　　be ac-

诚，　还有我那　火热的　歌　声，　歌唱

| 1 | 1̆ 1̆ 1 | 1̆ 4̆ | 5̣ | − | 5̣· | 4̣ | 3̣ | − | 5 | 5 |

cept- a- ble in thy　sight　here to- night　Let　the

你巴比伦，我　心　上的河，　故乡的

| 3̣ | − | 5̆ 6̆ | 5 | 2 | − | 5̆ 5̆ | 5 5 | 3 | 3 | 5̆ 6̆ | 5 |

words　　of our-　hearts　and the med- i- ta- tions of our-

河，　心上的　河。　你从我的　心上　缓缓流

| 2 | − | 5 | 5 | 3 | 3̆ 3̆ | 5 6̆ | 5 | 2 | − | 3· | 2 |

hearts　be ac- cept- a- ble in thy　sight　here to-

过，　故乡的　河，我那心上的　河，　巴比

| 1 | − | − | − | 1 | 5̣̆ 5̣̆ | 1 1 | 2 | ‖: 3 | 3̆ 3̆ 3 | − |

night　　　　By the ri- ver sof　Ba- by- lon,

伦！　　　我心上的河，　巴　比伦，

| 3̆ | 5̣ | 1 | 2 | 3 | − | − | − | 3 | 3 | 4 | 3 |

there we sat down,　　　yeah　we

在你身旁，　　　我低声地

| 2 | 0 | 0 | 0 | 2̆ 2̆ | 2̆ 2̆ | 2̆ 3̆ | 2 | 1 | − | 0 |

wept　　when we re- mem- be- red Zi　on

唱，　　伴着那眼泪　悲伤。

1.

| 0 5̣̆ 5̣̆ | 1 1 | 2 | :‖ |

By the ri- ver sof

我心上的河，

2.

| 0 | 5̣ | 1 | 2 | 3 | − | − | − |

Ah

呵

123

水
歌曲

水文化教育丛书

Ah　　　　　Ah
呵　　　　　呵

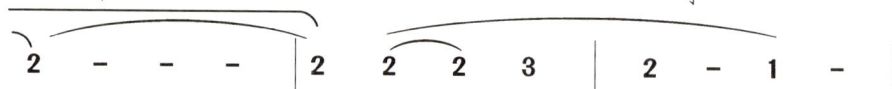

Ah
啊

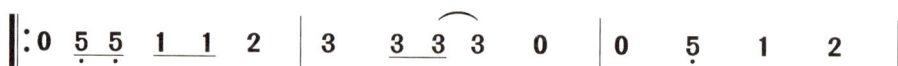

By the ri- ver sof Ba by- lon　　there we sat
我心上的河 巴 比 伦，　　在 你 身

down　　Yeah we wept
旁，　　我 低 声地 唱，

when we re- mem- bered Zi- on.
伴 着 那 眼 泪 悲 伤。

43. 密西西比河啊

美国电影《汤姆叔叔的小屋》插曲

肖　　章　译词
李青蕙　记谱配歌

1= F 4/4

```
3· 3  6· 6 1 6·  |  5· 5 3· 5 6  —  |
```
1.密 西 西 比 河 啊,　饱 经 沧 桑。
2.密 西 西 比 河 啊,　滚 滚 向 海洋。

```
6· 6  1· 1  3  2·  |  1· 1 6· 6 7  —  |
```
密 西 西 比 河 啊,　你 我 情 意 长。
密 西 西 比 河 啊,　送 我 去 他 乡。

```
1· 3  5· 3  5  3·  |  5· #4 2· 3 ♮4  —  |
```
在 我 心 中 燃 起　炽 热 的 幻 想,
除 去 我 的 忧 伤,　让 我 快乐 坚 强,

```
♭3· 2  1· 6 ♮3  #5  7 5  |  6  —  —  —  ‖
```
分 别 以 后 你 知 我 悲 伤。
哭 泣的 日 子 实 在 太 长。

125

水
歌曲

44. 月 亮 河

美国电影《在梯芬尼公司进早餐》插曲

[美]强尼·牟 瑟 词
[美]亨利·曼契尼 曲
薛 范 译配

1=C 3/4
中速

水文化教育丛书

```
5  -  -  | 2  1  -  | 7.  6 5 4 | 5  -  1 |
月       亮  河,     河   流 宽 又 阔,    我

7.  6 5 4 | 5  -  1 | 2  -  -  | 2  -  3 |
总  有 一 天 要     渡  过。              旧

1  -  -  | 5  3.  2 | 1  -  -  | 5  3.  2 |
梦       织  成  心  儿     残  破,     你

1  3  5 | 1  7.  6 | 7  6.  5 | 6  -  -  |
无  论  去 何  处, 我  追  随  不  舍。

5  -  -  | 2  1  -  | 7.  6 5 4 | 5  -  1 |
你       和  我     一   同 去 漂  泊,    看

7.  6 5 4 | 5  -  1 | 2  -  -  | 2  -  3 |
沧  海 桑 田  有     几  多。              你

1  -  -  | 3  -  5 | 1  -  -  | 2  -  1 |
我       弯  向  彩     虹  尽

5  -  -  | 5  7 6 5 4 | 5  -  -  | 5 1 7 6 5 4 |
头,        一 路 去 探  索。           我 亲爱的好伙

5  -  -  | 1  -  -  | 4  2  -  | 2  -  3 |
伴,       月       亮  河     和

1  -  -  | 1  -  -  -  ‖
我。
```

126

伍

碧绿色咏叹

45. 洪湖水，浪打浪

歌剧《洪湖赤卫队》选曲

梅少山　张敬安　词
梅会召　欧阳谦叔
张敬安　欧阳谦叔　曲

1=F 中速

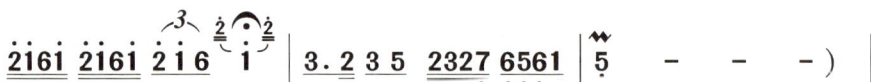

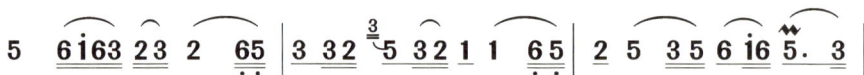

（独）洪湖　水呀　浪呀么浪打浪啊，　洪湖　岸边

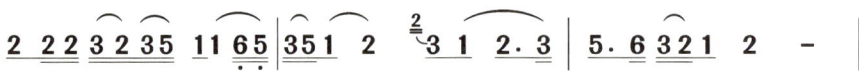

是呀么是 家　乡 啊。清早　船儿　去呀去撒网，

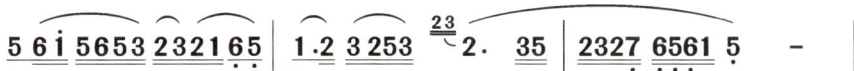

晚上　回来　鱼满　舱。

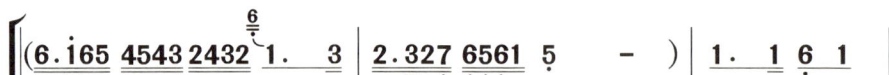

四　处野鸭

啊！

6 5 3 5 | 7. 65 | 1 — 0 2 3 1 2 | 4. 6 5

和菱藕， 啊！ 人人 都 说

3 5 — | 2. 3 2 1 | 6 1 5 6 1 | 2 5 | 6 5

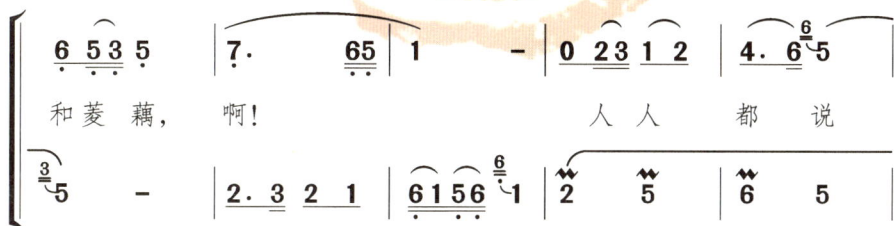

秋 收 满 畈 稻 谷 香。 啊

5 1 65 | 4. 3 2 | 1 1 2 3 | 1 2 7 6 5 — | 1. 2 3 2 5 3

天 堂 美， 怎 比 我 洪 湖 鱼 米

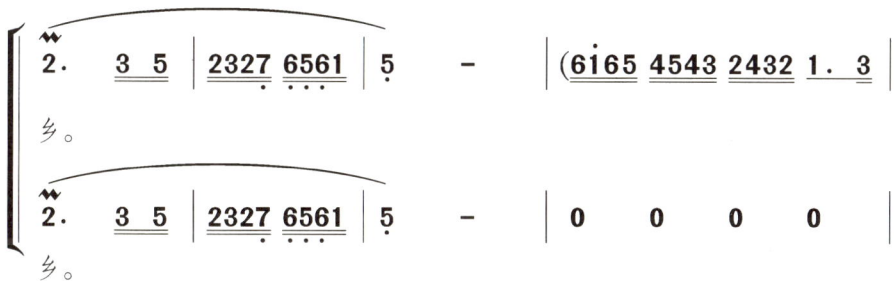

6 1 — | 2 5 | 1 1 2 3 | 1 2 7 6 5 — | 1. 2 3 2 5 3

怎 比 我 洪 湖 鱼 米

2. 3 5 | 2 3 2 7 6 5 6 1 | 5 — （6 1 6 5 4 5 4 3 2 4 3 2 1. 3

乡。

2. 3 5 | 2 3 2 7 6 5 6 1 | 5 — | 0 0 0 0

乡。

重唱

2 3 2 7 6 5 6 1 5 — ） | 5 6 1 6 3 2 3 2 6 5 | 3 3 2 3 2 3 5 1 1 6 5

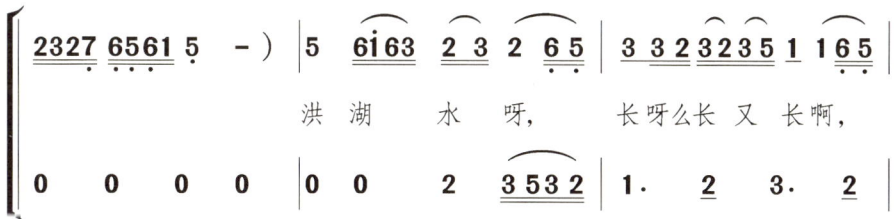

洪 湖 水 呀， 长 呀 么 长 又 长 啊，

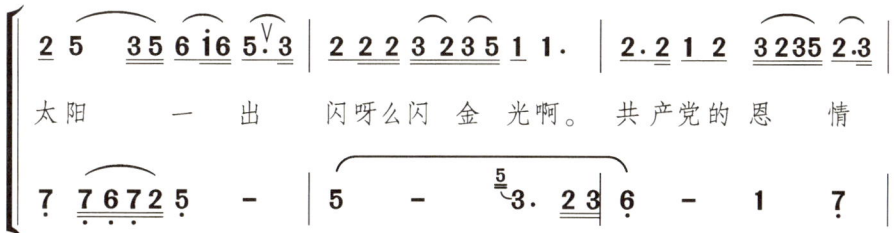

0 0 0 0 | 0 0 2 3 5 3 2 | 1. 2 3. 2

洪 湖 水 呀， 长 呀

2 5 3 5 6 1 6 5. 3 | 2 2 2 3 2 3 5 1 1. | 2. 2 1 2 3 2 3 5 2 3

太 阳 一 出 闪 呀 么 闪 金 光 啊。 共 产 党 的 恩 情

7 7 6 7 2 5 — | 5 — 3. 2 3 6 — 1 7

长 又 长， 啊， 共 产

129

$$\underline{5\ \dot{1}}\ \underline{6}\ \underline{5.\ \underline{6}}\ \underline{3\ 1}\ |\ \overset{\frown}{2}\ -\ 0\ 0\ |\ \underline{5\ \underline{5\ 6}}\ \underline{3\ 5}\ \underline{6.\ \dot{1}}\ \underline{6\ 5}\ |$$

比那　东　海　深。　　　　　渔民　的光

$$\underline{6.}\ \underline{5\ 6}\ 1\ -\ |\ 5\ \underline{5\ 5}\ \underline{6\ 5}\ \underline{6\ 1}\ \underline{5.\ \underline{6}\ 5}\ |\ \underline{3.}\ \ 2\ \underline{1\ 1}\ \underline{2}\ \underline{6}\ 1\ |$$

党　　　　像呀么像 太　阳。　　渔民　的

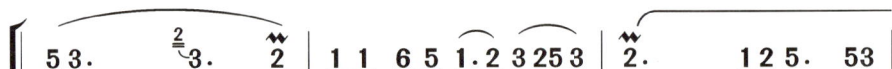

$$\underline{5}\ \underline{3.}\ \ \overset{2}{\underline{3.}}\ \ \overset{\frown}{2}\ |\ \underline{1\ 1}\ \underline{6\ 5}\ \underline{1.\ 2}\ \underline{3\ 2\ 5\ 3}\ |\ \overset{\frown}{2.}\ \ \underline{1\ 2}\ \underline{5.\ 5\ 3}\ |$$

景　　一年 更比一　年　　强。

$$\underline{2\ 3}\ \underline{5\ 2\ 1}\ \underline{6\ 5}\ 6\ |\ 3\ -\ 5\ -\ |\ \underline{5\ 6\ 5\ 3}\ \underline{2\ 3\ 2}\ \underline{1.\ 5\ 3}\ |$$

光　景　一　年　　更 比 一年 强。

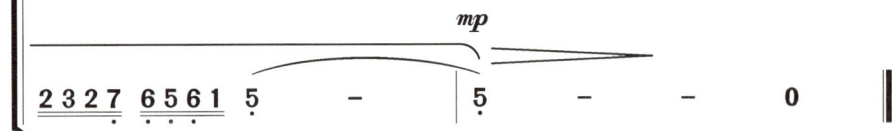

$$mp$$

$$\underline{2\ 3\ 2\ 7}\ \underline{6\ 5\ 6\ 1}\ \underline{5}\ -\ |\ \underline{5}\ -\ -\ 0\ |$$

$$mp$$

$$\underline{2\ 3\ 2\ 7}\ \underline{6\ 5\ 6\ 1}\ \underline{5}\ -\ |\ \underline{5}\ -\ -\ 0\ |$$

46. 微 山 湖

电视连续剧《铁道游击队》主题曲

1= A 4/4

山东民歌风

张鸿西 词
吕其明 曲

(5. 67 6 5. 2 | 5 6 5 3.4 32 16 1 6 : 1.2 3 5 2 23 2 7 |

6 35 7 6 5 -) | 2 5 3 2 31 2 - | 3 3 5 7.6 561. 6 |

1. 微 山 湖 哎, 阳光 闪 耀,
2. 微 山 湖 哎, 卷起 春 潮,

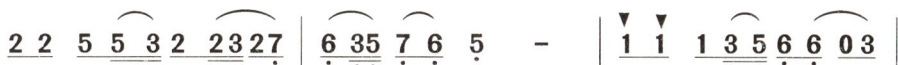

2 2 5 5 3 2 23 2 7 | 6 35 7 6 5 - | 1 1 1 3 5 6 6 03 |

翩翩 白帆 好像 云 儿 飘。 是谁 又在 弹响
朵朵 浪花 在把 英雄 找。 当年 抗日 健儿

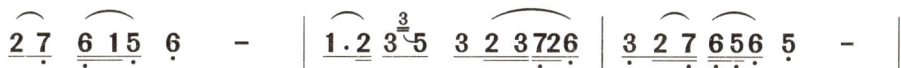

2 7 6 15 6 - | 1.2 3 5 3 2 3726 | 3 2 7 656 5 - |

土 琵 琶? 听 春风 传来 一片 歌 谣。
何 处 去? 看 青松 巍巍, 绿水 滔 滔。

5. 67 6 5. 2 | 5 6 5 3.4 32 16 1. 2 5 3 2 #1 27.3 27 656 |

哎 嗨哟, 哎嗨 咿 哟, 俺铁 道 游击队,

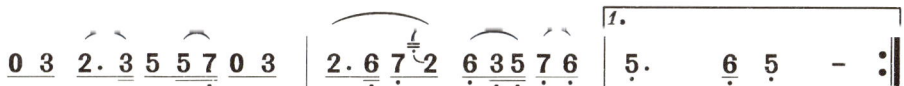

0 3 2.3 5 5 7 0 3 | 2.6 7 2 63 5 76 | 5. 6 5 - :

为国 为民 立下 大 功 劳 嗨哟。
丰功 伟绩 人 民 永远 忘 不

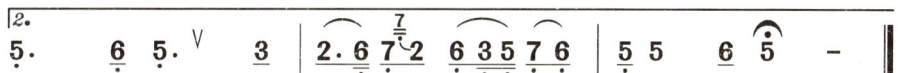

2.
5. 6 5. 3 | 2.6 7 2 63 5 76 | 5 5 6 5 - |

了 嗨哟, 人民 永远忘 不 了嗨 嗨哟。

131

47. 太 湖 美

1=C 2/4

任红举 词
龙 飞 曲

慢 甜美地

```
(3.235 2317 | 6561 5 04 | 3 6  5432 | 1.6 1235 ) | i  6 6i 3523
```

1. 太湖
2. 太湖

```
5 3 5  5 1 | i 6  3 523 | 3 i.  - | i.2  3 53 | 2 7  6 0 5
```

美 呀， 太 湖 美， 美 就 美 在
美 呀， 太 湖 美， 美 就 美 在

```
6 6i 3523 | 53  5. | ii 65617 | 6 6 0 56 | ii 65617
```

太湖 水。 水上 有 白 帆 哪，啊 水下 有 红
太湖 水。 党的 恩 情 长 呀，啊 春风 湖面

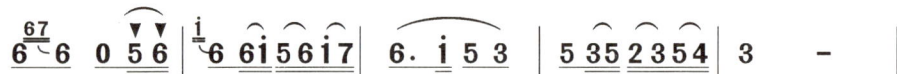

```
6 6 0 56 | i 66i 5617 | 6.i 53 | 5 352 354 | 3  -
```

菱 哪，啊 水边 芦 苇 青， 水底 鱼 虾 肥。
吹 呀，啊 水是 丰 收 酒， 湖是 碧 玉 杯。

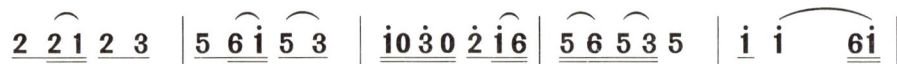

```
2 21 23 | 56i 53 | i 0 3 0 2 i6 | 56 535 | i i  6i
```

湖水 织出 灌溉 网， 稻香 果香 绕 湖 飞。哎咳
湖岸 人民 跟党 走， 建设 四化 显 神 威。

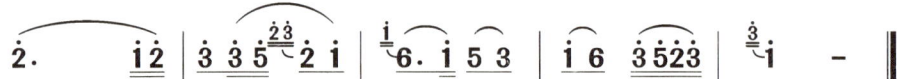

```
2.  i2 | 3 35 23 21 | i 6.i 53 | i6  3523 | 3 i  -
```

哟， 太湖 美呀 太 湖 美！

132

48. 翠 湖 寒

1=C 3/4

中速

孙 仪 词
骆明道 曲

(i. 3 5 i | 7. 3 5 7 | 6 3 1 | 2 -) 5 |

　　　　　　　　　　　　　　　　　　　　　　　　我

‖: 1 - 3 | 6 - 5 6 5 | 5 1 1 - | 1 - 5 |

曾　　在　翠　湖　　寒，　　　留

1 - 3 | 6 - 5 5 | 2 - - | 2 - 6 |

下　我　的　情　感，　　　　如

2 - 4 | 6 - - | 7 - 5 3 | 5 - 5 3 |

诗　如　画，　　似　梦似 幻，那是

2 - 5 3 | 6. 5 6 3 | 1 - - | 1 - i |

我，　那是我 的初　恋。　　　　朝

7 - 7 | 3 - 5 | 6 - - | 6 - i |

朝　暮暮　怀　念，　　　翠

7 - 7 | 6 - 3 5 6 | 6 5 5 - | 5 - 1 |

湖　带　雨　含　烟。　　　　我

7 - 1 | 3 - 3 7 | 6 - - | 6 - 5 3 |

心　我　情　依　旧，　　　人儿

133

水

歌曲

水
文
化
教
育
丛
书

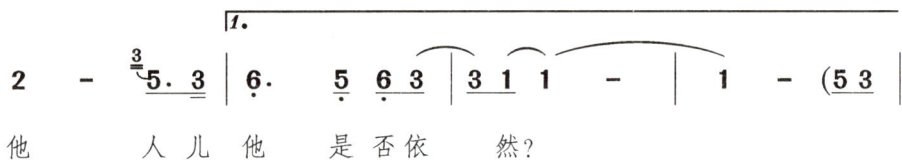

他　　　人儿他　是否依　　然？

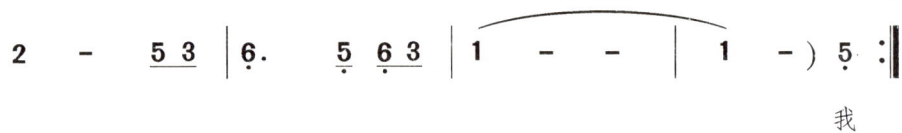

我

渐慢

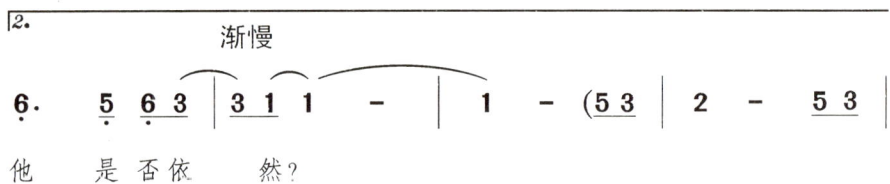

他　是否依　　然？

49. 长湖水，清又凉

电影《阿诗玛》插曲

1=F 2/4

中速 抒情地

葛 炎 刘 琼 词
罗宗贤 葛 炎 曲

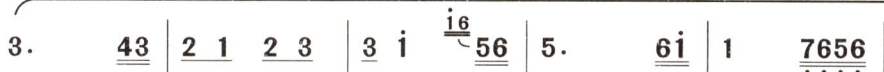

哎！

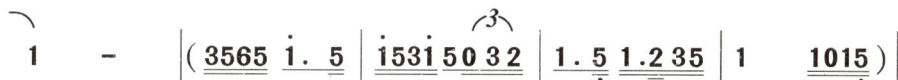

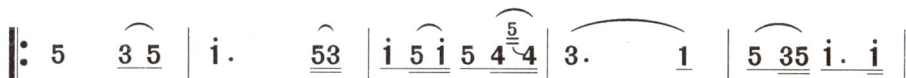

阿 若 底 哟 是 个 好 地 方， 高 高 的
撒 尼 人 哟 勤劳而坚 强， 高 山 上

青 松 树 长满了山 冈。 长 湖的 湖水 哟
放 牛 又 放 羊。 湖 边 踩麻 哟

又清又 凉， 青青的翠 竹秀又 长 哎喽秀 又 长。
田地里插秧 忙， 响亮的歌 声传四 方 哎喽传 四

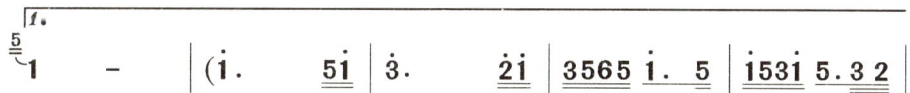

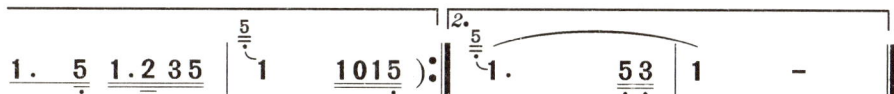

方。

50. 还是我们洞庭美

1=♭B $\frac{2}{4}$

夏劲风 词
魏景舒 曲

辽阔地、自由地
散板

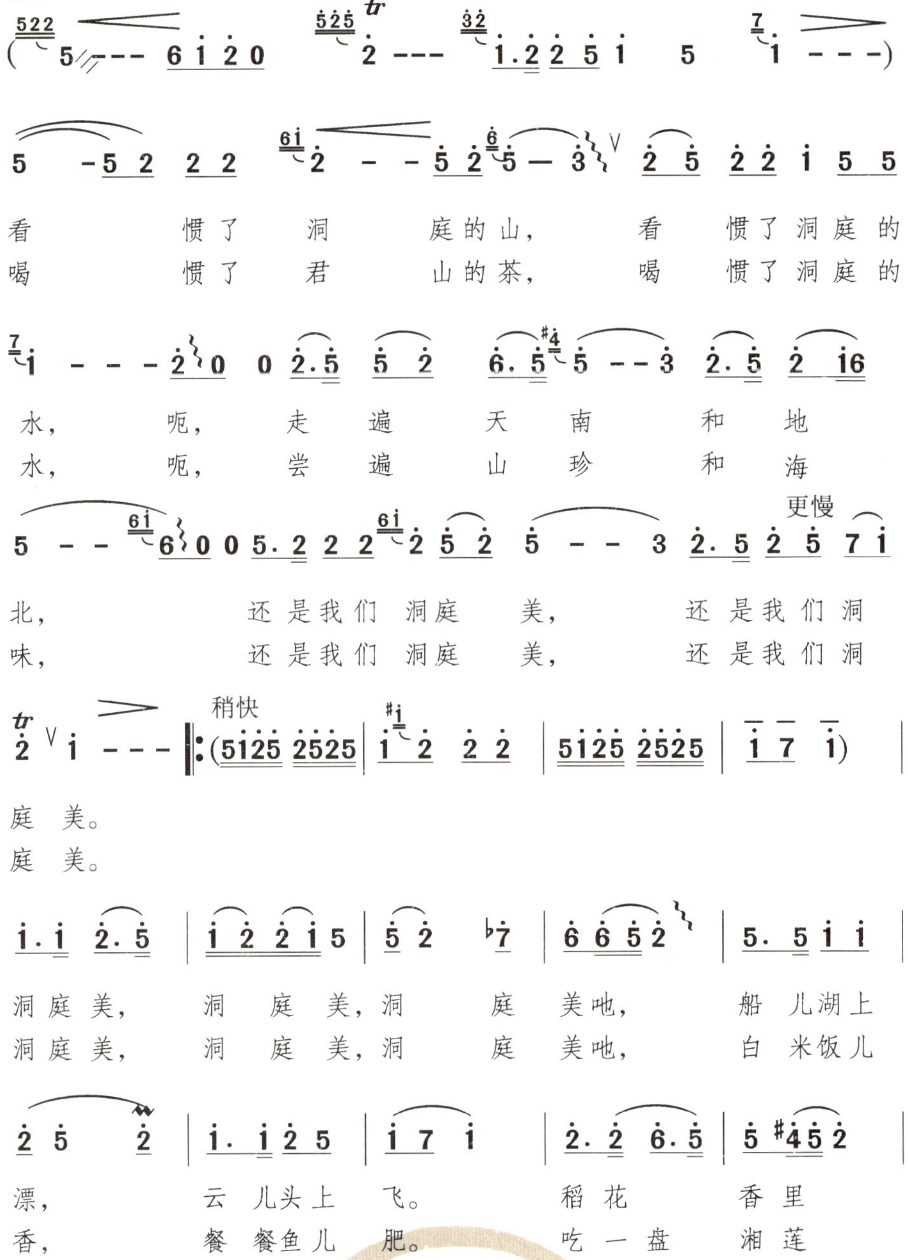
看 惯了 洞 庭的山， 看 惯了洞庭的
喝 惯了 君 山的茶， 喝 惯了洞庭的
水， 呃， 走 遍 天 南 和 地
水， 呃， 尝 遍 山 珍 和 海
更慢
北， 还是我们 洞庭 美， 还是我们洞
味， 还是我们 洞庭 美， 还是我们洞
稍快
庭 美。
庭 美。
洞庭美， 洞 庭 美，洞 庭 美吔， 船 儿湖上
洞庭美， 洞 庭 美，洞 庭 美吔， 白 米饭儿
漂， 云 儿头上 飞。 稻花 香里
香， 餐 餐鱼儿 肥。 吃一盘 湘莲

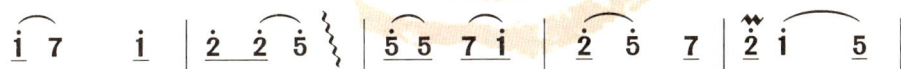

视 金 晖 哎， 中 秋 月 下 织 芦

甜 透 心 哎， 大 鸭 蛋 儿 更 馋 人 的

苇。 哎 啰 嗬 嗬， 听 一 晚

嘴。 哎 啰 嗬 嗬， 再 品 上

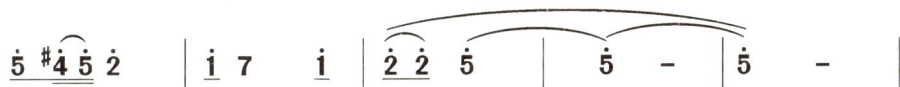

洞 庭 的 渔 歌 会 吧，

洞 庭 的 酒 一 杯 吧，

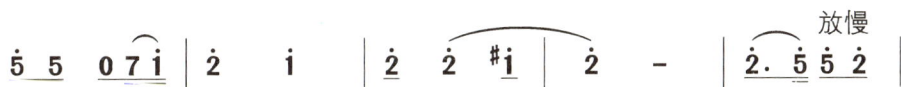

三 天 也 不 想 睡 吧， 三 天 也

三 年 也 不 解 醉 吧， 三 年 也

结束句

不 想 睡！ 哎，

不 解 醉！

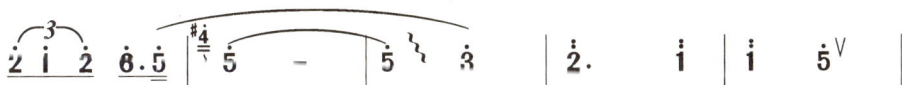

哎 啰 嗬 啰 嗬 嗬 咳

ppp

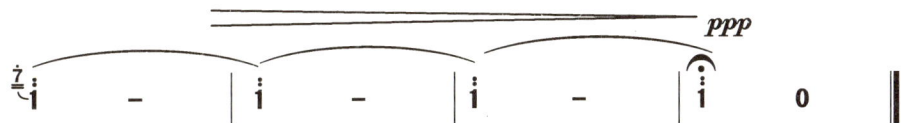

嗬。

137

51. 八百里洞庭美如画

于 沙 词
孙桂庆 曲

1=C 2/4

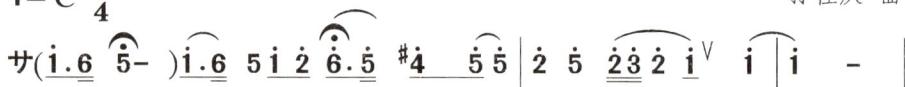

啰 呃啰呃啰　嗬呃　啰呃啰　　嗬呃

1.千里 金堤 柳如烟，　呃
2.禾苗 吐穗 织绿毡，　呃

嘿　芦苇 荡里 落大　雁。　渔歌 催开
嘿　油菜 开花 镶金　边。　燕子 归来

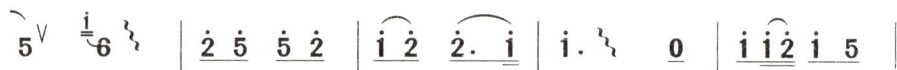

千张网，　呃　　　嘿　荷花 映红 水底
迷了路，　呃　　　嘿　谷堆 高过 山尖

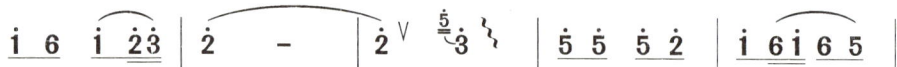

天。呃啰　呃　　　　八百里 洞庭 美如画
尖。呃啰　呃　　　　八百里 洞庭 美如画

哟，　　我们 生活在 画里　边。嘿
哟，　　我们 生活在 画里　边。嘿

$\widehat{\dot{1}\ \dot{1}\dot{2}}\ \dot{4}\ \dot{6}\ |\ \dot{5}\ \ \dot{5}\mathrel{\lessgtr}\ |\ \widehat{2\ 5}\ \widehat{5\ 5\ 4\ 2}\ |\ \dot{1}\ \ \dot{1}\mathrel{\lessgtr}\ |\ \widehat{\dot{1}\ \dot{1}\dot{2}}\ \dot{1}\ 5\ |$

花园 不算　美 哟，　湖 乡 胜 花　园　啰，　看 一 眼 洞庭

天堂 不算　美 哟，　美 景 在 人　间　啰，　走 过 了 洞庭

$\widehat{7.\ \dot{1}}\ \widehat{\dot{2}\ \dot{3}\ \dot{1}}\ |\ \widehat{\dot{2}\ \dot{2}.}\ \ \dot{2}\ -\ |\ 6\ \widehat{2\ \ \dot{2}}\ 6\ 5\ |\ \overset{5}{6}\ 0\ \widehat{6\ 5}\ 2\ |$

八　　百　　里 哟，　　心 里 只 觉　　甜。　呃啰

八　　百　　里 哟，　　赞 歌 唱 不　　完。　呃啰

1.

$\overset{\frown}{5\ \ -\ \ 5}\ 0\ :\!\|$

呃

2.

$\overset{\frown}{5\ \ -\ \ 5}\overset{V}{\ }\ |\ \widehat{6\ \dot{1}\ \dot{2}}\ |$

呃　　　呃啰

$\dot{2}\ \overset{\frown}{-\ \ \dot{2}}\ \widehat{\dot{1}\ \dot{2}}\ |\ \widehat{\dot{4}.\ \ \ \dot{2}}\ \widehat{\dot{6}.}\ \ \dot{5}\ |$

呃　　　　呃 啰 呃　　啰　　嗬

$^{\sharp}\overset{4}{\underline{\ }}\ \overset{\frown}{\dot{5}\ \ -\ \ \dot{5}}\ -\ 5\ -\ \overset{\frown}{5}\ 0\ \|$

呃。

52. 爱 情 湖

瞿 琮 词
王祖皆 张卓娅 曲

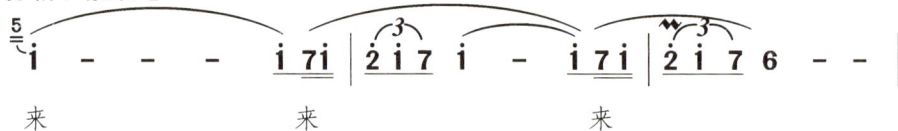

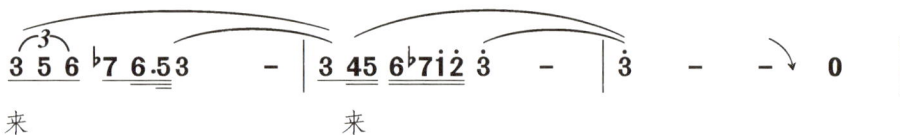

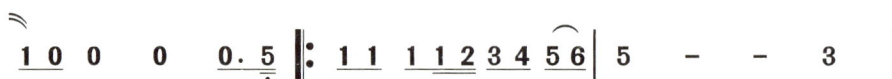

1=F 4/4

抒情、豪放地

来 来 来

来 来

来 来

在　白雪 皑皑的天山山　麓　　　啊，
冰峰 耸立的天山山　麓　　　啊，

有一个晶莹明　澈的　湖。　　那　湖面上闪着碧蓝 色的
有一个秀丽宁　静的　湖。　　那　巡逻的边防 战士 经过

波　光，　　湖　岸上 长满了雪松 树。
这　里，　　歌　声把　爱情倾　诉。

140

0 0 0 0.1 | 6 − − 6 7 i | 2 i 7 6 4 5 6.. 1

来　　　　　　来　　　　　　来

6 − − 6 7 i | 2 i 7 6 4 5 6.. 7 5 − − −

来　　　　　　来

% （反复记号）

6 7 i 2 i. 76 | 5 i 5 3 4 3 2 | 5 i 5 3 3 4 3 2 7

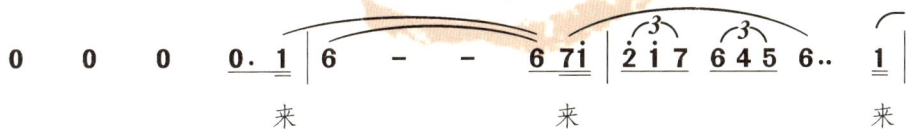

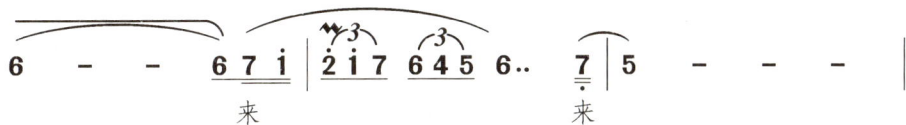

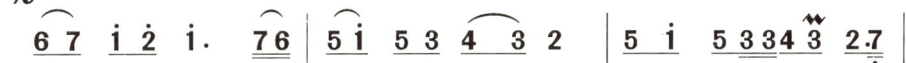

晶　莹的湖　啊，明　澈的湖　啊，湖中　贮满了爱情　的传
秀　丽的湖　啊，宁　静的湖　啊，战士　把青春 献给　祖

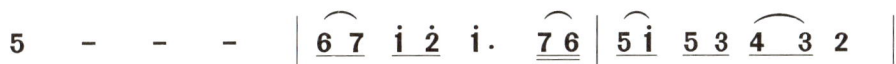

5 − − − | 6 7 i 2 i. 76 | 5 i 5 3 4 3 2

说。　　　　　晶　莹的湖　啊，明　澈的湖　啊，
国。　　　　　秀　丽的湖　啊，宁　静的湖　啊，

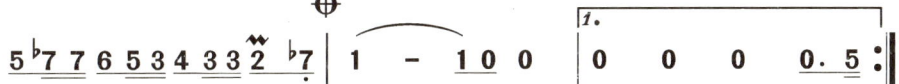

5 ♭7 7 6 5 3 4 3 3 2 7 | 1 − 1 0 0 | 1. 0 0 0 0.5

这 里是阿尔泰圣洁的爱　情　湖。　　　　　　在
心 中有一片 无边的爱　情

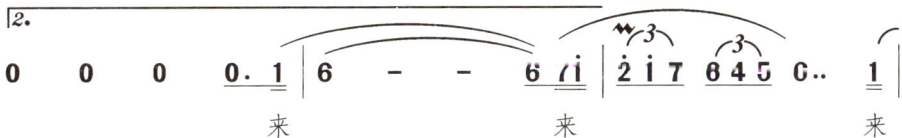

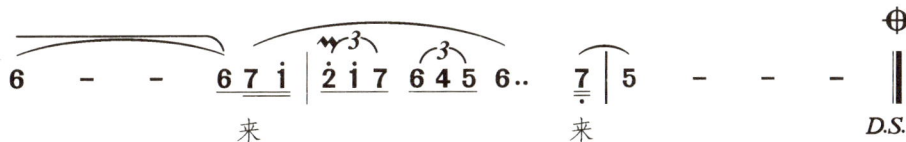

2.

0 0 0 0.1 | 6 − − 6 7 i | 2 i 7 6 4 5 0.. 1

来　　　　　　来　　　　　　来

6 − − 6 7 i | 2 i 7 6 4 5 6.. 7 | 5 − − −

来　　　　　　来　　　　　　　　　D.S.

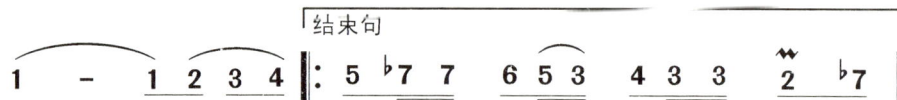

湖。　　　啊，　　心　中　有　一　片　　无　边　的　爱　情

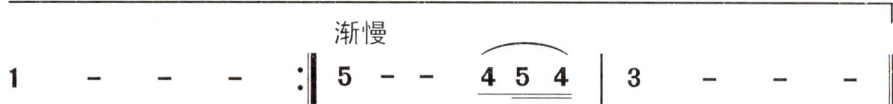

湖，　　　　　　爱　情　　湖。

53. 清清骆马湖

任红举　宿豫哥　词
印　　青　曲

1=#F　4/4　2/4

(5 - i - | 5 - - 6 3 | 5 - - - | 1 6 5 3 2 2. 3 |

2 3 2 1 6 5 5 - | ‖: 5 6 3 5. 6 | i 6 5 3 5 - |

2 3 2 i 6 i 2 3 2 i.6 | 5 6 i 6 5 3 5 2. 3 | 2 3 2 1 6 1 5 6 1 -) |

§

5 5 5 6 5 3 5 5 6 5 | 5 5 3 2 3 6 6 1. | 1 1 1 2 2 3 1 2 1 6 |

清清的骆　马　湖啊　　　一　望　无　穷。　　站在那湖岸　上啊
清清的骆　马　湖啊　　　一　望　无　穷。　　站在那湖岸　上啊

5 5 6 5 3 5 2 - | 5. 5 3 5 6 5 3 3 | 2. 3 5 5 3 2 3 2 1 6 |

从 西 望 不到东。　　秋 水养肥虾和 蟹，　碧 波环抱 菱 和 藕。
从 西 望 不到东。　　万 代长流天上 水，　春 天送来 八 面 风。

5 5 6 1 2 3 3 6 5 3 | 2 3 2 1 6 1 5 6 1 - | 1 - |

丰收的渔歌一声声，　唱 到我心　　中。
欢乐的笑声一阵阵，　飘 进我心　　中。

i i i 6 5 5 5 3 5 | i. 2 i 6 5 5 - | 3. 5 6 i 6 5 3 0 |

无穷无　尽啊　万　顷　爱，　　我 的故乡情　啊

6. 1 5 3 3 2 2 - | i i i 6 5 5 5 3 5 | i. 2 i 6 5 6 - |

总 是这样浓。　　无穷无　尽啊　　水　连　天，

143

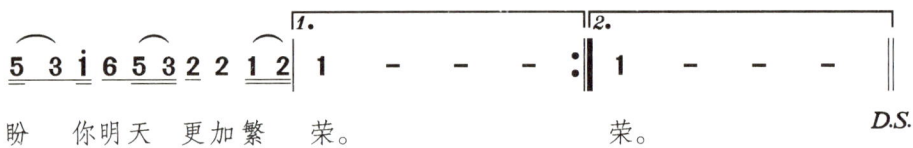

盼　你明天　更加繁　荣。　　　　　　荣。　　　　　　D.S.

结束句

荣。　　　　　　明　天　会　更　繁

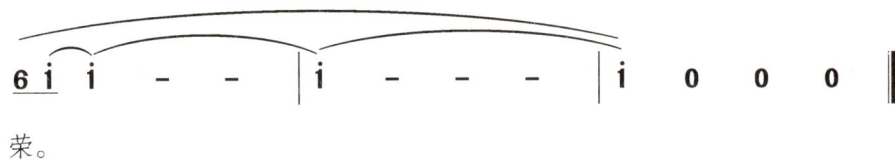

荣。

54. 一 面 湖 水

王新莲 词
齐 秦 曲

1 = A 4/4

♩ = 88

$(\underline{\dot{6}\ \dot{7}}\ \underline{\dot{7}\ \dot{1}}\ \underline{1\ 2}\ \underline{2\ 5}\ |\ 3\cdot\ \underline{3\ 3}\ -\ |\ \underline{\dot{6}}\ \underline{\dot{7}\ \dot{7}}\ \underline{\dot{1}}\ \underline{1\ 2}\ \underline{2\ 5}\ |$

$\underline{3\ 7\ 7}\ -\ -\ |\ \underline{3\ 5}\ \underline{6\ 6}\ \underline{2\ 3}\ 3\ |\ \underline{0\ 6}\ \underline{5\ \dot{2}\ \dot{2}}\ -\ |$

$\underline{3\ 5}\ \underline{6\ 6}\ \underline{2\ 3}\ 3\ |\ \underline{0\ 6}\ \underline{5\ \dot{2}\ \dot{2}}\ -\ |\ \underline{3\ 5}\ \underline{6\ 6}\ \underline{2\ 3}\ 3\ |$

$\underline{0\ 6}\ \underline{5\ \dot{2}\ \dot{2}}\ -\ |\ \underline{3\ 5}\ \underline{6\ 6}\ \underline{2\ 3}\ 3\ |\ \underline{0\ 6}\ \underline{5\ 2}\ 2)\ \underline{3\ 5\ 6}\ |$

有人说

$6\ -\ -\ -\ |\ 0\ \ 0\ \underline{6\ 6}\ \underline{6\ 6\ 5}\ |\ \underline{3\ 3}\cdot\ 3\ -\ -\ |$

高 山 上 的 湖　　水,

$0\ \ 0\ \ 0\cdot\underline{3}\ \underline{3\ 5}\ |\ \underline{3\ 2}\ 2\ -\ \underline{2\ 5}\cdot\ |\ 2\ \ \underline{0\cdot\underline{2}}\ \underline{2\ 5}\ \underline{6\ 3}\ |$

是 躺 在　地 球　　表 面 上　的一颗 眼泪,

$3\ -\ -\ -\ |\ 0\ \ 0\ \ 0\ \underline{3\ 5\ 6}\ |\ 6\ -\ -\ -\ |$

那么说

$6\ \ \underline{0\cdot\underline{6}}\ \underline{6\ \dot{1}}\ \underline{6\ 6\ 5}\ |\ 5\ -\ -\ -\ |\ 0\ \ 0\ \ 0\ \underline{5\ 5\ 6}\ |$

我 枕 畔 的 眼泪,　　　　　　　就 是 挂

$2\ -\ -\ \underline{2\ 5}\cdot\ |\ 2\ \ \underline{0\cdot\underline{2}}\ \underline{2\ 5}\ \underline{6}\ |\ 3\ -\ -\ -\ |$

在　　　　你 心　间　的一面湖　水。

1.			
3 0 2·5 5 6	3 − − −	0 0 2·5 5 6

一 面 湖 水， 　　　一 面 湖

6 − 6 3 3 | 3 − − − ‖ 0 0 2·5 5 6

水。　　　　　　　　D.C.　一 面 湖

6 − − 6 3 | 3 − 2·5 5 1 6 | 6 − − −

水，　一 面 湖 水。

6 − − − | 0 7 7 − − | 7 − − −

呜！

7 − − − | 7 − − 0 ‖

D.S.

146

55. 多彩的万绿湖

1=[#]F 4/4
优美地

蒋开儒 词
孟庆云 曲

```
(5 3  5 3  5 3  1 6 | 1 6  1 6  6   -  | 5 3  5 3  5 3  1 6 |

1 6  6   2   -  | 5 1 3 6 5   -  | 1 5 6 3 5   -  |

‖: 5 1  2 3  5 2  6 3 | 1   -   -   -) | 5 65 3 56 5.   01 |
```

1. 万 绿 湖   啊，
2. 万 绿 湖   啊，

```
2 32 1 23 5   -  | 6 1 0 2 6 5 6 5 3 | 2 3  1  2   -  |
```

你   好 美，   太阳 出来一 汪 胭 脂   水。
你   好 美，   月亮 出来满 湖 银 光   醉。

```
5 65 3 56 5.    01 | 2 32 1 23 6  0 5 6 | 1 1 0 2 6 5 3  5 6 |
```

万 绿 湖   啊，你 好 美，那个 红呀，那个 红呀，就
万 绿 湖   啊，你 好 美，那个 白呀，那个 白呀，就

```
5.  3 2.32 1 5 2 | 2. 1  -   -   - | 3. 5 5 1 7.    6 |
```

像 那万 朵红玫 瑰。   万 绿 湖 啊，
像 那漫 天雪花 飞。

```
1. 2  3  36 56 5  -  | 3 5  5 1  6 5 6 3 | 5 1 1 3 2 1  2   -  |
```

你   好 美，   绿色 长廊 镶 了 镶了块大 翡翠。

147

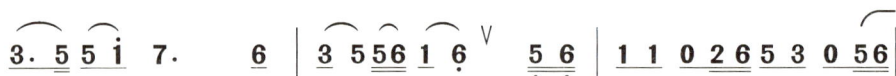

万 绿 湖 啊，你 好 美！ 那个 绿呀，那个 绿呀，啊，

绿 得让人醉,让人 醉。

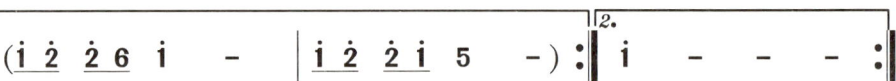

醉。

D.S.

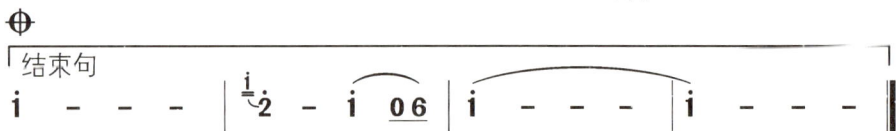

结束句

醉。 让 人 醉。

水
歌
曲

水文化教育丛书

56. 北 方 的 湖

1=A 4/4
♩=72

宋晓明 词
张卓娅 曲

（0 3 23 53. | 03 23 63. | 06 63 21 5 |

6 5 6 - ） | 0 6.3 1. 6 | 7.3 5 - - |
（伴）啊， 北 方 的 湖，

6.3 1. 6 75 | 6 - - 63 ‖: 1. 1 16 673 |
啊， 北 方 的 湖， 月 光 是 你 的 微
色 回 归 着 梦

6 - - 6.3 | 1. 1 16 675 |² 3 - - 3 5 |
笑， 阳 光 是 你 的 翅 膀。 我 的
想， 金 色 收 获 着 希 望。 你 用

5. 3 31 16 | 2. 1233 233 | 53 3 - 3 5 |
目 光 向 你 问 候， 你 这 圣 洁 辽 阔 的 地 方。 我 的
彩 色 召 唤 未 来， 我 们 热 情 美 丽 的 故 乡。 你 用

5. 3 31 16 | 2. 1233233 | 53 3 - - |
目 光 向 你 问 候， 你 这 圣 洁 辽 阔 的 地 方。
彩 色 召 唤 未 来， 我 们 热 情 美 丽 的 故 乡。

3 6.3 1. 6 | 7.3 5 - - | 6.3 1. 6 7.3 |
噢， 北 方 的 湖， 噢， 北 方 的

149

湖。　　　　　　绿　湖。　　　　　　　　空中 鸟儿 知道，水里

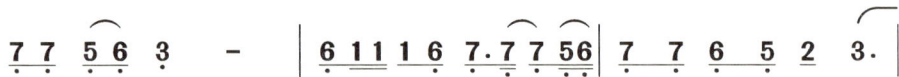

鱼儿 知　道，　　　喧嚣的 人群 寻找，拥 挤 的 心 灵 寻 找。

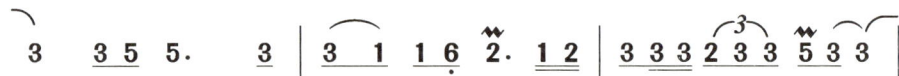

问一问　啊，北　方 的 湖，他们　都知道那里是天堂。

问一问　啊，北　方 的 湖，他们　会找到梦中的地方。

啊，　　　北　方 的 湖，　　啊，　　　北 方 的

湖。　　　你　敞开大海一样的　胸膛，　　　你

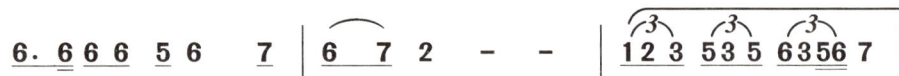

放 飞青春自由 的 畅　想。　　　　啊，

你　敞开大海一样的　胸膛。　　　你

放 飞 青春 自由 的 畅 想。　　　　　啊，

　　　啊，　　北 方 的 湖，　　　　啊，　北 方 的

湖，　　　　北 方　　　　　的 湖。

哟， 你是 神话的 摇篮， 兴凯湖 哟， 你是
哟， 你是 歌乐的 长廊， 兴凯湖 哟， 你是

蕴涵 激情的 宝 库。 我要放 歌 向你倾
蕴涵 激情的 宝 库。 我要高 歌 为你祝

诉， 感谢 你 滋润 这片黑 土。 啊，
福， 祝福 你， 祝福 你，

走 向

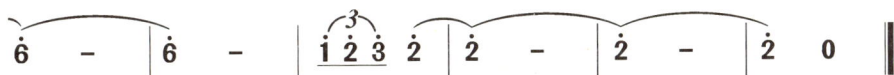

通 途。

58. 北湖好风光

1=♭B 4/4

中速 优美地

李允祥　词
张鲁雅　曲

（歌谱）

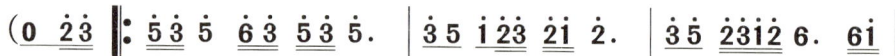

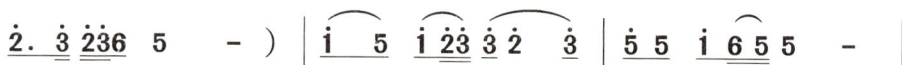

1.2.3. 北　湖　美，　　美在 好风　光，

风软　　游人醉，　荷送 阵阵 香。　碧波荡　　漾
水暖　　鱼儿跃，　渔家 喜洋 洋。　轻舸争　　流
才登　　望湖阁，　又见 芦苇 荡。　一抹霞　　光

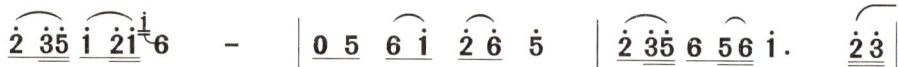

连　天　色，　　翠湖　环岛　百　鸟儿 唱。　啊，
浪　打　浪，　　小伙儿 撑　船　撒　网　忙。　啊，
映　碧　水，　　万枝　柳　丝　透　斜　阳。　啊，

北湖　好风　光，　　　好　风　光，
北湖　好风　光，　　　好　风　光，
北湖　好风　光，　　　好　风　光，

北　湖岸边 我家乡，　我　家　乡。　一　方好　水
北　湖岸边 我家乡，　我　家　乡。　湖　河相　连
北　湖岸边 我家乡，　我　家　乡。　当　把风　流

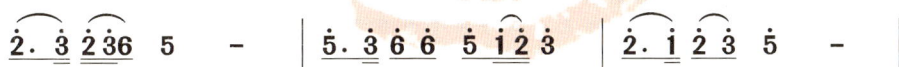

载　千　秋，　　民　富　物　饶　百　姓　祥，　百　姓　祥，
润　苍　生，　　运　河　之　都　新　景　象，　新　景　象，
唱　今　朝，　　旅　游　城　市　美　名　扬，　美　名　扬，

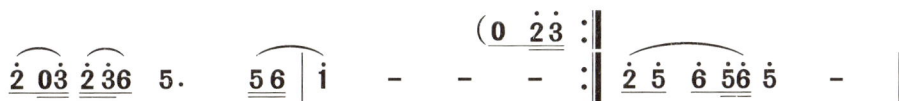

百　姓　祥，　哎。　　　　　　　　北　湖
新　景　象，　哎。
美　名　扬，　哎。

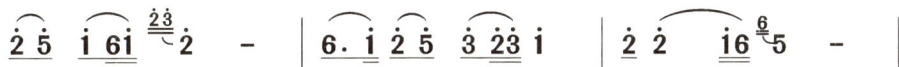

好　风　光，　北　湖　岸　边　我　家　　乡，

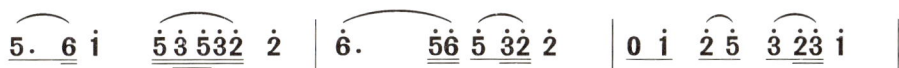

当　把　风　流　唱　今　朝，　旅　游　城　市

美　名　扬，　美　名　扬。

陆

蔚蓝色梦幻

59. 大海啊，故乡

电影《大海在呼唤》主题歌

1=F 3/4

稍慢 深情地

王立平 词曲

```
(5 6 5.   3 | 5 6 5   -  | 6 5 4 1 6 5 | 5   -   - |

3 4 3.   2 1 | 6 2 2   -  | 4 5 4 3 1 6 | 1   -   - )|


1 2 1.  7 6 | 5 3 3   -  | 3 4 3.  2 1 | 6 2 2   - |
```
小时候 妈妈 对我讲， 大 海就是 我故乡，

```
7 1 7.  6 5 | 5 2 2   -  | 4.   3 1 6 | 1   -   - |
```
海 边   出 生， 海 里 成 长。

```
5 6 5.   3 | 5 6 5   -  | 6 5 4 1 1 6 5 | 5   -   - |
```
大 海 啊大 海， 是我 生活的地 方，

```
3 4 3.   2 1 | 6 2 2   -  | 4 5 4 3 1 6 | 1   -   - |
```
海风 吹， 海浪 涌， 随我 漂流四 方。

```
5 6 5.   3 | 5 6 5   -  | 6 5 4 1 6 5 | 5   -   - |
```
大 海 啊大 海， 就像 妈妈一 样，

```
3 4 3. 2 1 | 6 2 2   -  | 4 5 4 3 1 6 | 1  -  - | 1 - 0 ‖
```
走遍天涯 海角， 总在我的身 旁。

60. 我爱这蓝色的海洋

胡宝善　王传流　词
胡　　宝　善　曲

1=E 3/4

(5 6 7 1 2) ‖: 3 5 6 | i. 2 i6 | 5. 3 65 | 3 − − | 5̣ 6̣ 1 |

2 3 6 | 5. 3 23 | 1 11 3 | 5̣ 11 3) |

5̣ 3 3 | 5 3 2 | 1. 2 31 | 5̣ − − |

1.2.3. 我 爱 这 蓝 色 的 海　　洋，

1 2 3 | 5 − i | 7 6 34 | 5 − − |

祖 国 的 海 疆 壮 丽 宽 广。
祖 国 的 海 疆有 丰 富的宝 藏。
祖 国 的 海 燕在 暴风 雨里成 长。

6 − 6 | 5 − 3 | 1 61 23 | 2 − − |

我　 爱 海 岸 耸 立的 山 峰，
我　 爱 晴 朗 辽 阔的 海 空，
我　 爱 大 海的 惊 涛 骇 浪，

3 5 6 | i 6 5 | 3. 5̲ 2 | 1 − − ‖

俯 瞰 着 海 面 像 哨 兵一 样。
英 雄 的 战 鹰在 展 翅飞 翔。
把 我 们 锻 炼 得 无 比坚 强。

159

水文化教育丛书

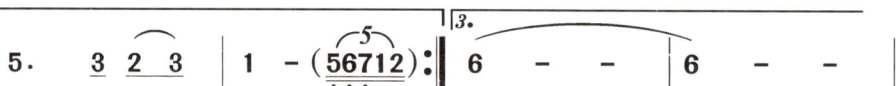

61. 深深的海洋

女声二重唱

南斯拉夫民歌
李宝树 译配

62. 问 大 海

电视连续剧《香港地恩仇记》主题歌

西彤 黄加良 阿铭 词
郑 秋 枫 曲

1=C 4/4

1.海 茫 茫， 夜 漫 漫，
2.风 飕 飕， 雨 点 点，

世 间 何 处 有 青 天。
苦 海 孤 舟 恶 浪 颠。

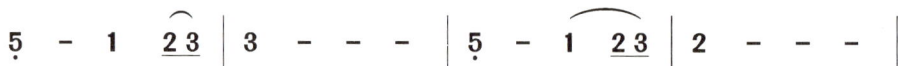

安 乐 时 光 难 寻 觅，
满 腹 怨 愤 口 难 诉，

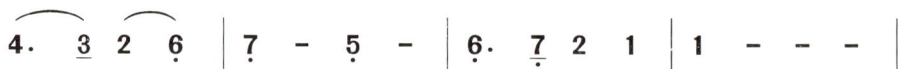

忧 郁 年 复 一 年 又 一 年。
仇 恨 深 深 埋 心 间。

人 间 悲 苦 何 时 了？
一 代 恩 仇 说 与 谁？

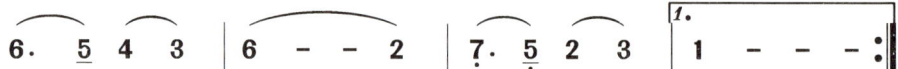

问 大 海， 问 苍 天。
唤 大 海， 唤 苍

2.

| 3 − − − | $\dot{1}$. $\dot{1}$ 7 $\widehat{6}$ | 5 − − − | 7 − $\widehat{65}$ $\widehat{65}$ |

天。　　　　一　代　恩　仇　　　说　与

| 3 − − − | $\widehat{6.\ 5}$ $\widehat{4}$ 3 | 6 − − 2 | $\widehat{\underset{.}{7}.\ \underset{.}{5}}$ 2 3 |

谁?　　　　唤　大　海，　　　唤　苍

| 1 − − − | $\widehat{\underset{.}{7}\ \underset{.}{5}}$ 2 3 | 1 − − − ‖

天，　　　　唤　苍　天。

163

63. 东方有一片海

电视剧《北洋水师》主题歌

冯小宁 词

王小勇 曲

1=B 4/4

♩=54

```
(6  1  7  5 | 3  1  7) 5 6 | 5  —  5 3 2 1 |
                  (童声伴) 东   方    有 一 片

2  —  2 6 1 | 6.  5 5 6 5 2 | 3  —  —  5 6 |
海,       海风  吹  来童年的  梦。       天

5  3.  3 2 1 | 2 1 6 6.6 1 6 | 6.  5 3 4 3 |
外   有 一 只 船,       期待着 漂  向那天

5/4  1  — — — 5.6 | 4/4  5  — 0 3 2.1 | 2  — 0 6. 1.6 |
边。(独)  东           方   有 一 片 海,   海风
1=♭E

6.  5 5.6 6 5 2 | 3  — — 5.6 | 5  3.  3 3 2.1 |
吹   过 五 千年的  梦。   天   外   有 一 只

2 6.  6 6  1 6 | 6.  5 5 5  2 3 | 3  —  4.  5 |
船,    船 一 去 漂  来 的 都  是 泪,    洒 在

3.2 1  —  0 ‖: i. i i.  6 6 5 | 4 i.  i  0 |
岸 边。      再 不 愿 见 那 海,

7.7 7 5  6 2 | 6 | 6 5.  5  0 | 3/4 0  5. 6 5 |
再 不 想 看 那  只 船,       却   回头

4/4 0 3 2.1 2 1 6 | 0 6.  1 6  6.5 | 3  — 4.  5 | 3 2 1  — — :‖
又 向它走 来,   却 又  回过 头,   向 它 走 来。
```

64. 海 的 女 儿

1=F 2/4

活泼、跳跃地

韩 伟 词
张重祥 曲

```
(5. 5 5 5 | 5 5 1234 | 5 5 0 | 1234 5 | 5. 5 5 5 |

6 6 1234 | 432 0 5 | 432 0 | 6. 6 6 6 | 6 5 0 |

       5
6 6 0 | 12345 605 | 7. 7 7 7 | 7 7 6567 | i 5 4 3 |

2 1 7 6 | 5 — | 5 — | 1 — | 1 5 ) |
```

```
5 — | 3. 1 | 6 5 | (6 5) | 5 — |
军        旗    啊 军 旗   （军  旗）， 海

3. 1 | 2 5 | (2 5) | 6 — | 6. 5 |
风   中 飞 扬   （飞 扬）。 战        舰  啊

4 43 | 2 — | 5 5 | 4 3 2 | 3. 2 |
战   舰，    轻 轻 在 摇  荡。

3 — | 5 — | 3. 1 | 6 5 | (6 5) |
     风       雨  啊 风 雨   （风  雨），

5 — | 3. 1 | 2 5 | (2 5) | 6 — |
在       为 我 梳 妆   （梳  妆）。 海
```

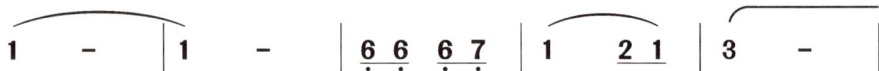

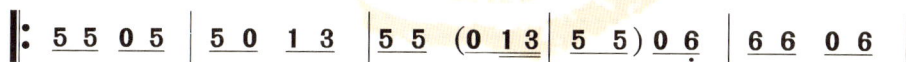

眼睛 里 有 一片 蔚蓝 （一片 蔚蓝），啊 心灵 里
浪花 送来 亲人 嘱托 （亲人 嘱托），啊 飘带 系

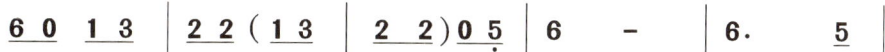

有 万顷 海疆（万顷 海疆）。让 军 歌 和
着 故乡 期望（故乡 期望）。让 军 歌 和

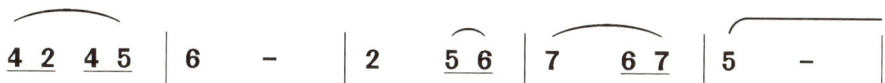

太 阳 一 同 升 起，
太 阳 一 同 升 起，

啊 祖 国 就 迎 送 着
啊 母 亲 就 迎 送

我 们 去 巡 航。

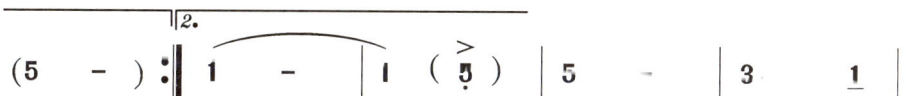

航。 军 旗 啊

军 旗 （军 旗），海 风 中 飞 扬

水

歌曲

水文化教育丛书

(2　5)　| 6 —　| 6．　5　| 4　43　| 2 —　|

（飞　扬）。战　　舰　啊　战　　舰，

5．　5　| 43　2　| 3．　2　| 3 —　| 5 —　|

轻　轻　在　摇　荡。　　　　风

3．　1　| 6．　5．　| (6　5)　| 5 —　| 3．　1　|

雨　啊　风　雨　（风　雨），在　　为　我

2　5　| (2　5)　| 6 —　| 6．　5　| 4　43　|

梳　妆　（梳　妆）。海　　鸥　啊　海

2 —　| 3　5　| 2　3　| 1 —　| 1 —　|

鸥，　　在　伴　我　飞　翔。

6　6　67　| 1　21　| 3 —　| 3 —　| 22　23　|

我 是 海 的 女　　儿，　　　　我 是 海 的

4　32　| 5 —　| 5 —　| 66　65　| 4　46　|

女　　儿，　　　　我 是 海 的 女

2 —　| 2　66　| 6．　5　| 32　| 1　5　| i　0　‖

儿，　　我 是 海 的 女　　儿，女　儿！

168

65. 天蓝蓝，海蓝蓝

电视连续剧《潮起潮落》片尾曲

1=C 4/4

周振天 词
付 林 曲

欢快地

天　　蓝　蓝，　　海蓝　蓝,拉起锚,开起　船。

天　　蓝　蓝，　　海蓝　蓝,把稳 舵,撑起　帆。

风大　浪　大　不呀 不说 难，　礁多　滩　多　不呀不说 险,
潮起　潮　落，　年年 岁　岁，　日升　月　沉，

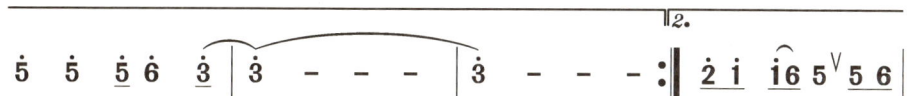

咱 有 龙 的 胆。　　　　　　　　　　岁岁 年 年,还是

天蓝蓝　喽，　　　　　还是 海蓝　蓝喽。

天　　蓝　蓝，　　海　　蓝　蓝，

天　　蓝　蓝，　　海　　蓝　蓝。

66. 海　　韵

庄　奴　词
古　月　曲

1=♭E　4/4
中速

女　郎，
女　郎，

你为什么　　独　自　　　徘徊　在
难道不怕　　大　海　　　就要　起

海　滩？　　　　　　　　　风　浪？

啊！　　　不　是　海

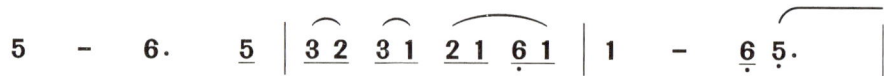

浪，　是　我　美丽衣　　裳　飘荡。

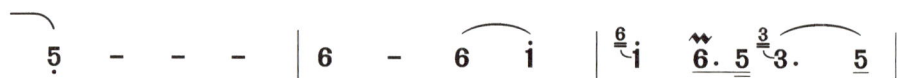

纵　然　　天边有黑

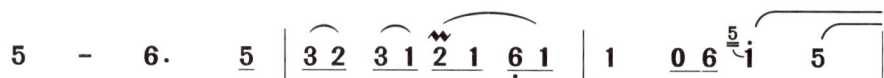

雾，　也　要　像那海　　鸥　飞翔。

170

$$5 - - - | \underset{\cdot}{6} \ \underset{\cdot}{6} - - | 0 \ \underset{\cdot}{6} \underset{\cdot}{6} \ \underline{1} \ \underset{\cdot}{6}.$$

女　郎，　　　　我是多么

$$0 \ \underline{1} \ \underline{23} \ 5 \ \underline{65} | \underline{30} \ 0 \ \underline{21} \ \underline{06} | 1. \ \underline{2} \ 3 - |$$

希　望　　　围绕　你　身　旁。

$$3 - - - | \underset{\cdot}{6} \ \underset{\cdot}{6} - - | 0 \ \underset{\cdot}{6} \underset{\cdot}{6} \ \underline{1} \ \underset{\cdot}{6}.$$

女　郎，　　　　和你去看

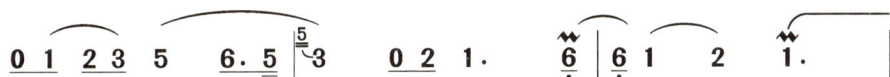

$$0 \ \underline{1} \ \underline{23} \ 5 \ \underline{6.5} | \overset{5}{3} \ \underline{02} \ 1. \ \underset{\cdot}{\underline{6}} | \underset{\cdot}{6} \ 1 \ 2 \ 1.$$

大　海，　　　去看　那风　浪。

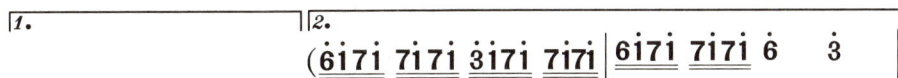

1.
$$1 - - - :\|$$

2.
$$(\underline{\underset{\cdot}{6}\underline{1}\underline{7}\underline{1}} \ \underline{7\underline{1}7\underline{1}} \ \underline{\overset{\cdot}{3}\underline{1}\underline{7}\underline{1}} \ \underline{7\underline{1}7\underline{1}} | \underline{\underset{\cdot}{6}\underline{1}\underline{7}\underline{1}} \ \underline{7\underline{1}7\underline{1}} \ \underset{\cdot}{6} \ \overset{\cdot}{3}$$

$$1 - - - | 0 \ 0 \ 0 \ 0 |$$

$$\|: \underline{\underset{\cdot}{6}\underline{1}\underline{7}\underline{1}} \ \underline{7\underline{1}7\underline{1}} \ \underline{\overset{\cdot}{3}\underline{1}\underline{7}\underline{1}} \ \underline{7\underline{1}7\underline{1}} | \underline{\underset{\cdot}{6}\underline{1}\underline{7}\underline{1}} \ \underline{7\underline{1}7\underline{1}} \ \underset{\cdot}{6} \ \overset{\cdot}{3} :\| \underset{\cdot}{6} - - -) \|$$

67. 在 海 一 方

1=E 2/4

赞美、自豪地

乔 羽 词
郁洲萍 曲

在天一方，
古调悠悠，

在海一方，
新歌洋洋，

在这片海天
在这片天地

相接的地方。
祥和的地方。

在天一方，
古调悠悠，

在海一方，
新歌洋洋，

这就是我们，
这就是我们，

我们的连云港。
我们的连云港。

哎哎哎哟，
哎哎哎哟，

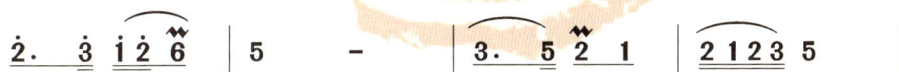

哎 哎 哎 哟，　　美 丽 的 海 湾，
哎 哎 哎 哟，　　繁 荣 的 海 湾，

可 爱 的 家　乡，　　西 连 亚 欧 大 陆 风 云，
文 明 的 家　乡，　　迎 来 四 方 嘉 宾 好 友，

东 临 太 平　洋。　　美 丽 的 海　湾，
共 享 花 果　香。　　繁 荣 的 海　湾，

可 爱 的 家　乡，　　西 连 亚 欧 大 陆 风 云，
文 明 的 家　乡，　　迎 来 四 方 嘉 宾 好 友，

东 临 太 平 洋。　　共 享
共 享 花 果 香。

花 果　　香。

173

68. 浪花，海的颂歌

1=E 4/4 2/4

胡宏伟 词
铁 源 曲

中速 深情地

(6̣6 3̣ 6̣i̇ 76 | 5̣3̣ 7̣.6̣6̣ － | 6̣6 3̣ 6̣i̇ 76 |

5 － － － | 6̣6 3̣ 2̣26̣ | 3̣.4̣3̣2̣1 － |

7̣ 7̣6̣5̣.6̣17̣ | 6̣ 6̣6̣5̣6̣ 3̣5̣) | 6̣6 11 7̣17̣6̣ |

我是 浪花 一 朵，

3̣3̣ 2̣3̣2̣6̣ － | 111 7̣6̣ 1 2̣.3̣ | 3 － － － |

浪花 一 朵， 依偎在大海的 心 窝。
欢笑在大海的 心 窝。

5 5 3̣ 4 3̣2 | 2̣2 1 3̣.2̣2̣7̣ | 3̣2 1 7̣1 2̣7̣ |

海水 晶莹， 海潮 蓬 勃,你 给了 我 品 德,你
海涛 深情， 海风 柔 和,你 给了 我 抚 爱,你

2 2̣2 1 7̣ | 6̣ － － 0 | 6̣6 3̣ 6̣i̇ 76 |

给 了我 性 格。 无论 我 奔 流到
给 了我 寄 托。 无论 我 跳 动在

5̣3̣ 7̣.6̣6̣ － | 6̣6 3̣3̣6̣i̇ 76 | 5 － － － |

哪 里， 都闪 耀着海的 本 色。
哪 里， 都紧 连着海的 脉 搏。

6 6 3 2　2 6 | 3.4 3 2 1　－ | 7̣ 7̣ 6̣ 5̣.6̣ 1 7 |

大 海 是 我 的　母　　亲，　　我　就 是 海 的 颂

我 是 大 海 的　骄　　傲，　　大 海 就 是 我 亲 爱 的 祖

6̣　－　－　0 ‖: 6̣ 6 3　2　2 6 | 3.4 3 2 1　－ |

歌。　　　　　　我 是　大　海 的 骄　　傲，

国。

渐慢　　　　　　　回原速

7̣.7̣ 7̣ 7̣ 6̣ 5 5 6̣ 1 7 | 6　－　－　－ | 6　0　0　0 ‖

大 海 就 是 我 亲 爱 的 祖　　国。

175

69. 浪花啊，浪花

王晓岭 词
魏 群 曲

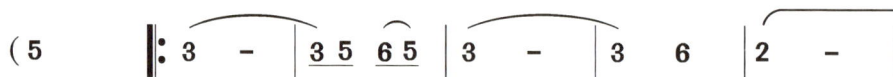

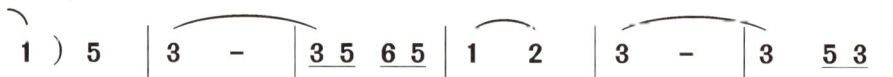

$1 = {}^{\flat}E$ $\frac{2}{4}$

亲切、轻柔地

$(5 \quad \| : 3 - | 3 5 6 5 | 3 - | 3 6 | 2 -$

$| 2 7 6 5 | 2 - | 2 3 2 3 | 5. \quad 6 | 5 6 | 7 | 1 -$

$| 1) 5 | 3 - | 3 5 6 5 | 1 2 | 3 - | 3 5 3$

1.2.浪　花，　　　奔腾的浪　　花，　　　你像

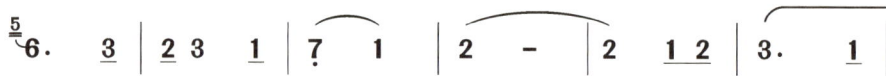

$6. \quad 3 | 2 3 \quad 1 | 7 | 1 | 2 - | 2 \quad 1 2 | 3. \quad 1$

天　边翻卷的云　　霞。　　　望着你

$6 - | 6 \quad 1 2 | 3. \quad 5 | 7 5 | 6 - | 6 \quad 7 6$

心潮涌起波　涛，　　　你可

$2. \quad 4 | 3 - | 3 \quad 2 3 | 5. \quad 6 | 5 6 | 7 | 1 -$

知　道　　我有多少知心话。

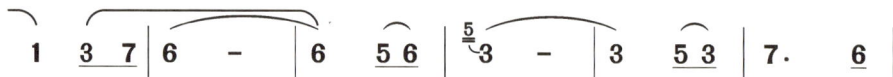

$| 1 \quad 3 7 | 6 - | 6 | 5 6 | 3 - | 3 | 5 3 | 7. \quad 6$

啊！　　　浪　花，　你生在
啊！　　　浪　花，　我爱你

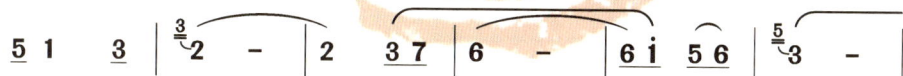

大海　怀　抱。　　啊，　　　　浪　花，
胸怀　宽　广。　　啊，　　　　浪　花，

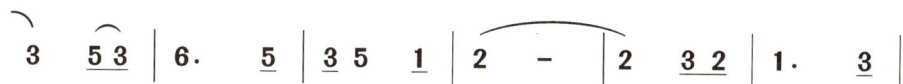

你　开　在　海角　天　涯。　　伴随　我　　的
我　爱　你　志向　远　大。　　多像　我　　的

心　上　人，　　守卫　海　疆　把　根　扎。
心　上　人，　　风波　浪　里　度　年　华。

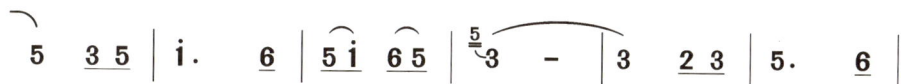

伴随　我　　的　心　上　人，　　守卫　海　疆
多像　我　　的　心　上　人，　　风波　浪　里

渐慢

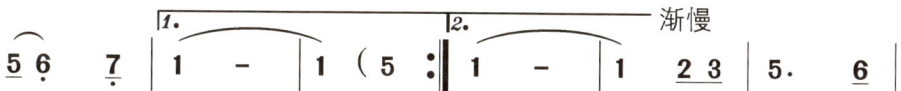

把　根　扎。　　　华。　　风波　浪　里
度　年

度　　年　　华。

177

70. 海港之夜

[苏]丘尔金 词
[苏]索洛维约夫－谢多伊 曲
王毓麟 译配

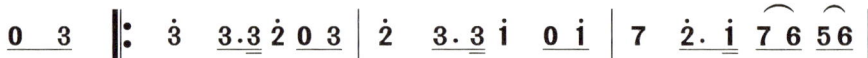

1=♭B 4/4

缓慢 抒情地

```
0  3  ‖: 3  3·3 2 0 3 | 2  3·3 1  0 1 | 7  2·1 7 6 5 6
```

1. 唱　　吧，朋友们，明　天　要起航。　航　行　在那夜雾
2. (晚)　风轻轻吹，月色泛银光。我　们　快乐纵情歌
3. (静)　静的海港上，水　波　在荡漾。夜雾弥　漫着海

```
3  -  -  0 3 | 4  4·4 3  0 3 | 2  2·2 1·  1
```

中，　　快　乐地歌　唱吧。　亲　爱的老船长，　让
唱。　　为　朋友歌　唱，　为　工　作歌唱，　为
洋，　　浪　花冲击着　故　乡的海岸，　远

```
7·7 1·2 3 7·3 6  -  -  6 | 4·  4 5· 4 5
```

我　们一齐来歌　唱。　　　再｜见　吧，可　爱的
幸　福的生活歌唱。
远　的手风琴声悠　扬。

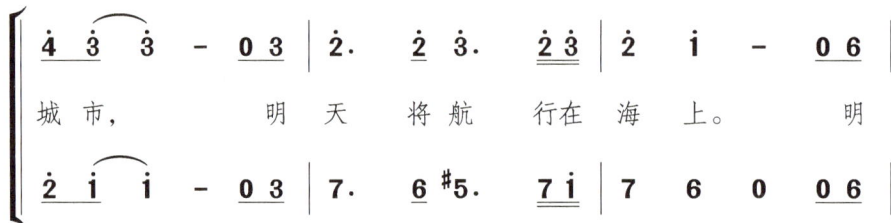

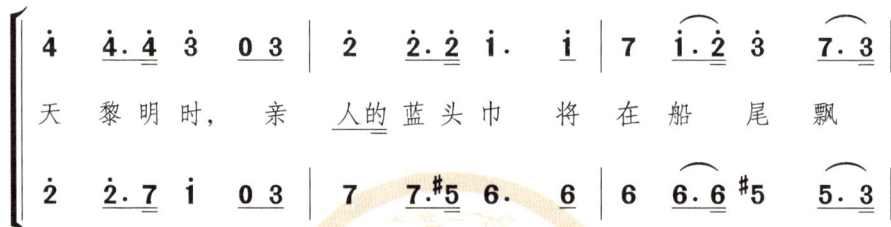

```
2·  1 7· 2 3
```

```
4 3  3  - 0 3 | 2·  2 3·  2 3 | 2  1  - 0 6
```

城市，　　明　天　将航　行在海　上。　　明

```
2 1  1  - 0 3 | 7·  6 #5·  7 1 | 7  6  0 0 6
```

```
4  4·4 3  0 3 | 2  2·2 1·  1 | 7  1·2 3  7·3
```

天　黎明时，亲　人的蓝头巾　将在船　尾飘

```
2  2·7 1  0 3 | 7  7·#5 6·  6 | 6  6·6 #5  5·3
```

Line 1:
```
6  -  -  6 | 4. 4 5. 4 5 | 4 3 3 - 0 3 |
扬。          再  见  吧,可  爱 的 城 市,        明

6  -  -  6 | 2. 2 2. 2 3 | 2 1 1 - 0 3 |

6  -  -  6 | 2. 1 7. 5 5 | 7 1 1 - 0 3 |
```

Line 2:
```
2. 2 3. 2 3 | 2 1 - 0 6 | 4 4. 4 3 0 3 |
天  将 航  行 在 海  上。      明 天 去 航行, 亲

7. 7 7. 7 1 | 7 6 - 0 6 | 2 2. 7 1 0 3 |

7. 6 #5. 3 3 | #5 6 - 0 6 | 2 2. #5 1 0 3 |
```

Line 3:
```
                                    1. 2.
2 2. 2 1. 1 | 7 1. 2 3 7. 3 | 6 - - 0 3 :‖
人的 蓝 头巾 将  在 船  尾 飘  扬。        2.晚
                                         3.静

7 7. #5 6. 6 | 6 6. 6 #5 5. 3 | 6 - - 0 3 :‖

7 #5. 3 6. 6 | 4 2. 1 7 3. 3 | 6 - - 0 3 :‖
```

Line 4:
```
3.
6  -  -  -  | 6  0  0 ‖
扬。

6  -  -  -  | 6  0  0 ‖

6  -  -  -  | 6  0  0 ‖
```

71. 鼓浪屿之波

1 = F 4/4

中速、稍慢

张藜 红曙 词
钟立民 曲

```
(3 4 : 56 65 5 53 3 5 | 53 32 6. - | 5. 7. 1 2 3 |

1 - - - ) | 5 6 65 53 32 | 1. 5. 5. - |
```

1. 鼓　浪屿四　周海　茫茫，
2. 母　亲生我在台　湾岛，
3. 鼓　浪屿海　波在日　夜唱，

```
6. 6. 5. 23 43 | 2 - - - | 56 65 53 32
```

海水　鼓起波　浪。　　　　鼓　浪屿遥　对着
基隆　港把我滋　养。　　　我　紧紧依　偎着
唱不　尽骨肉情　长。　　　召　不干海　峡的

```
1. 6. 6. - | 5. 7. 1 2 3 | 1 - - 11
```

台　湾岛，　台湾是我家　乡。　　　　登
老　水手，　听他讲海龙　王。　　　　那
思　乡水，　思乡水鼓动波　浪。　　　思

```
6 67 1. . 2 | 1. 5 5 - 51 | 4 46 1. . 2
```

上　日光岩　　眺望，　只见云　海
迷　人的故　事吸引我，　他娓　娓的话语
乡，思乡　啊，思乡，　骨肉，骨肉啊，

```
1. 5 5 - 56 | 65 53 3. 5 | 53 32 2 - |
```

苍　苍。　我渴望，　我渴望，
刻心上。
骨肉。

$$\underline{3}\ \underline{4}\ \underline{3}\ \underline{2}\ \dot{6}\ -\ |\ \underline{\dot{5}}\ \underline{\dot{7}}\ \underline{1}\ 2\ 3\ |\ 1\ -\ -\ (\underline{3}\ \underline{4}\ :\|$$

1. 2.

快 快 见 到 你，　　美 丽　的 基 隆　港。

$$1\ -\ -\ -\ |\ 1\ 0\ 0\ \|$$

3.

港。

72. 外婆的澎湖湾

1= A 4/4

叶佳修 词曲

晚风 轻拂 澎湖 湾,

白浪 逐沙 滩,　　　没有 椰林 缀斜 阳,　只是 一片 海蓝 蓝。

坐在 门前的 矮墙 上　一遍 遍怀 想,　　也是 黄昏的 沙滩 上

有着 脚印 两 对半。　那是 外婆 拄着 杖　将我 手轻轻 挽,

踩着 薄暮 走向 余晖　暖暖的 澎湖 湾。　　一个 脚印是 笑语 一串,

消磨 许多 时光,　　直到 夜色 吞没 我俩　回家的 路上。

澎湖 湾,　　澎 湖 湾,　外婆的 澎 湖

湾，　　　　　　有　我许多的童年幻　想，

阳光、　沙滩、　海浪、仙人　掌，　还有

一　位老船　长。　　　　　长。

73. 海峡两岸架长虹

汤壁辉 词
周开屏 曲

1=G 2/4

中速 民歌风

```
( 0    0 56 ‖: 1  12 3.2 35 | 5 2 3 5 6 5 6 1 | 5  32 1 2 3 1 |

3
2    2 3 5 6 | 1  12 5  53 | 3  23 2  1 | 6.2 2 2 7 6 5 6 |

5    6 1 2 3 ) | 5  32 1 2 3 | 3     2. | 6  23 2 1 6 |
```

我 住 海峡 西，   你 住 海峡
我 住 海峡 西，   你 住 海峡

```
6   5. | 1  12  5  53 | 3  23 2  1 | 6.2 2 2 7 6 0 5 |
```

东，   隔海 遥遥 相呼 唤， 海风轻轻把 情
东，   隔海 难隔 骨肉 情， 欢聚怎能在 梦

```
6   — | 1  12  5  53 | 3  23 2  1 | 6.2 2 2 7 6 5 6 |
```

送。   隔海 遥遥 相呼 唤， 海风轻轻把 情
中。   隔海 难隔 骨肉 情， 欢聚怎能在 梦

```
5   — | 5.     2 | 6  56 1 | 1. 6 4 35 |
```

送。   任 凭 云 遮 雾 迷
中。   望 断 海峡 终 有

```
2 #1 2. | 5  5  2 | 6  56 1 | 2. 6 5 64 |
```

蒙，   你 心 我 心 总 相
渡，   喜见 片 片 帆影

$\sharp\frac{4}{4}$ 5 — | 0 6 5 1 | 4 56 6 | 6 — ‖

通。　　　啊！　大　海，

动。　　　啊！　大　海，

6 6 5 1 | 4 5 6 2 | 3 2 3 2 0 | 6·2 2 2 7 6 0 5 |

悠 悠　岁　月　　长 流　水，　打湿多少相　思

但 愿　风　雨　　早 散　尽，　海峡两岸架　长

6 — | 5 — | 5 6 5 1 | 4 56 2 |

梦。　　哎！　　　悠 悠　岁　月

虹。　　哎！　　　但 愿　风　雨

3 2 3 5 | 6·2 2 2 7 6 5 6 | 5 — ‖ 2· 2 2 6

长 流　水，　打湿多少相　思　梦。　　　海　峡两岸

早 散　尽，　海峡两岸架　长　虹。

1 2 6 V | 56 5 — | 5 — ‖

架　长　虹。

74. 水 之 子

河海大学校歌

1=♭A 4/4

行进速度

尉天骄　王如高　词
董　莆　友　曲

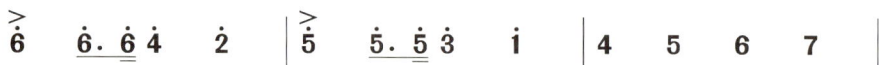

依 石 城，　饮 长 江，
依 石 城，　饮 长 江，

弦 歌清凉，报 效国 邦。　河 海 人，
弦 歌清凉，报 效国 邦。　河 海 人，

水 之 子，　奔 腾浩瀚灵 动飞 扬。
水 之 子，　奔 腾浩瀚灵 动飞 扬。

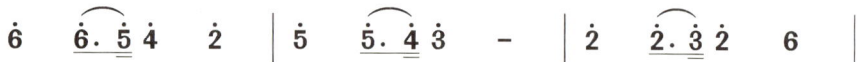

华 夏 水 利 千 秋 业，　河 清 海 晏
立 志 修 身 业 精 工，　跻 身 世 界

$\overset{\frown}{7\dot{1}}$ $\dot{3}\dot{2}$ $-$ | $\dot{6}$ $\overset{\frown}{\dot{6}.\dot{5}}\dot{4}$ $\dot{2}$ | $\dot{5}$ $\overset{\frown}{\dot{5}.\dot{4}}\dot{3}$ $-$ |

民 安　康。　育 成 万 千　栋 梁 才，

一 流　强。　大 哉 河 海　奋 前 程，

$\underline{5}5.$ 7 $-$ | 4 $\overset{\frown}{\dot{4}.\dot{3}}\dot{2}$ 6 | 2 $\overset{\frown}{2.7}5$ $-$ |

1.

$\dot{2}.$ $\dot{2}\dot{3}\dot{4}$ | $\dot{5}$ $-$ $-$ $-$ | $\dot{4}.\dot{4}\dot{3}\dot{2}\dot{1}\dot{0}$ ‖

世 纪 桃 李　芳，　　　世 纪 桃 李 芳。

$\flat7.$ $\natural\underline{7}\dot{1}$ $\dot{1}$ | $\dot{2}$ $-$ $-$ $-$ | $\dot{2}.\dot{2}75\dot{1}\dot{0}$ ‖

𝄋

2.　　　　　　　结束句

$\dot{2}.$ $\dot{2}\dot{3}\dot{4}$ | $\dot{5}$ $-$ $-$ | $\dot{6}$ $-$ $\dot{6}$ | $\dot{5}$ $-$ $\dot{4}$ $-$ |

禹 鼎 更 辉　煌，　　　禹　鼎 更 辉

$\flat7.$ $\natural\underline{7}\dot{1}$ $\dot{1}$ | $\dot{2}$ $-$ $-$ | $\dot{4}$ $-$ $-$ $\dot{4}$ | $\dot{3}$ $-$ $\dot{2}$ $-$ |

$\frac{2}{4}$ 4 $-$ | $\dot{5}$ $-$ | $\dot{5}$ $-$ $-$ | $\frac{2}{4}\dot{5}$ 0 ‖

　　　　　　煌。

$\frac{2}{4}$ 2 $-$ | $\dot{1}$ $-$ $-$ | $\dot{1}$ $-$ $-$ | $\frac{2}{4}\dot{1}$ 0 ‖

75. 奔腾吧， 河海

马维原 词
张春生 曲
小流 改编

1=F 2/4

豪迈有力、朝气蓬勃地

```
(i i. i | i i. | 7 7. 7 | 7 7. | 0 6 7 | i. 76
```

```
2 2  3  2 5 | i - | i - ) | 5. 5  3  1
                              (合)1.2.滚  滚  长  江
```

```
2 2  3 3 | 7 6 5 | 1. 1 1 7 | 6 6 1 1 | 3  6 5
是我  们的  血 脉，  巍 巍 钟 山  是 我 们 的  风  采。
```

```
5 -  | 5 0 | 6 6  6 | 5 4 3 | 2. 2  3
       老一  辈 河海人  无 私 奉
       新一  代 河海人  自 强 不
```

```
6 -  | 5 5  5 4 | 3 2 | 3 - | 3 0
献，    呕心 沥血 育 英  才。
息，    光荣 传统 铭 胸  怀。
```

```
5. 5  3  1 | 2. 2 3 | 6 - | 1. 1 1 2
(男)艰 苦 朴 素  实 事 求 是，    (合)共 同 奋 斗
     严 格 要 求  勇 于 探 索，
```

```
3 7 | 6 - | 6 0 | i. i | 7 6
兴 河  海。      (女)雨 露 滋 润
```

188

5 6̂5 | 2 — | 5 5̂5̂4 3 2 | 1 — | 1 0 :‖

百花　开，　　建设祖国　向　未　来。

女高	i̇	i̇·i̇ i̇ i̇·ᵛ	7	7·7 7 7·ᵛ	
女低	3	3·3 3 3·ᵛ	2	2·2 2 2·ᵛ	

奔　腾吧河海!　奔　腾吧河海!

男高	i̇ 5	i̇·i̇ 5·5 i̇ i̇·ᵛ 5 5·ᵛ	7	7·7 7 7·ᵛ	
男低	1	1·1 1 1·ᵛ	5	5·5 5 5·ᵛ	

6 6·7 | i̇ 7̂6 | 5·5 1 2 | 3 — ᵛ | i̇ i̇·i̇

4 4·5 | 6 5̂4 | 3·3 1 2 | 3 — ᵛ | 3 3·3

河海的　精神　　多么豪　迈。　　奔　腾吧，

6 6·7 | i̇ 7̂6 | 5·5 1 2 | 3 — ᵛ | i̇ i̇·i̇

4 4·5 | 6 5̂4 | 3·3 1 2 | 3 — ᵛ | 1 1·1

水

歌曲

河海！　奔腾吧，河海！　　奔向世界，

奔向未来！

76. 大海一样的深情

1=F 4/4

刘　麟　词
刘文金　曲

中速、稍慢 深情地　　　　　mf

p

(3671 7176 3671 7176 | 3 1 7 6 ‖: 3 - 33 3 | 3 1 7 6 |

mp

3 - - - | 3 1 7 6 | 63 61 65 31 | 63 61 65 31)

mp

6 - - 23 | 3 - - - | 3ⁿ1 6 32 1 |

1.月　　　　　光　　　　　洒在银色的
2.海　　　　　鸥　　　　　展开洁白的

7 03 35 6 | 6 - - - | 36 6 0 1 23 |

沙　　滩　　上，　　　　海啊，翻卷着
翅　　　　膀，　　　　飞吧，向着那

(0 7 76 52 34 | 35 12 3)

56 65 24 | 3 - - - | 3 - 0 1 76 |

层　层波　浪。　　　　　　海风
东　方飞　翔。　　　　　　飞到

22 12 31 76 | 6·1 16 01 76 | 22 12 31 76 |

拨动　着琴　弦哪，伴随着我把　歌儿
宝岛　台　湾哪，飞到　槟榔　树

6·1 16 01 23 | 5 - - #4 | 3 - 5 6 |

唱　噢。　啊！　　　　台
上　噢。　啊！　　　　海

191

湾，　　　　　富饶而美丽的宝　岛啊，
鸥，　　　　　我愿和你一同飞　翔啊，

我日夜把你来遥　望。　　　啊！
去把台湾同胞探　望。　　　啊！

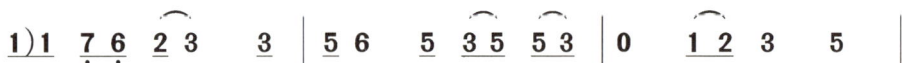

我怀着大海一样的深　情，　把台湾
盼望着祖国统一的时候，　我们同把

同　　胞　　　　　　　常
团　　圆　　　　　　　的

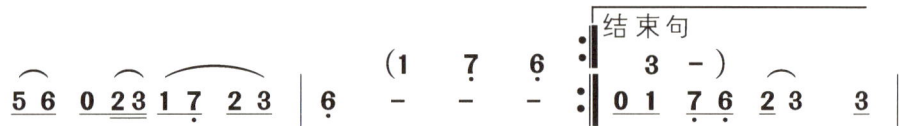

结束句

挂在心上。　　　　盼望着祖国
歌儿高唱。

渐慢

统一的时候，　我们同把团圆的歌儿

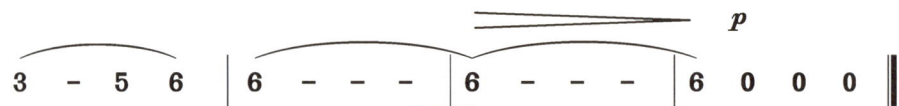

p

高　　唱。

柒

斑斕的色彩

77. 在水一方

琼瑶 词

林家庆 曲

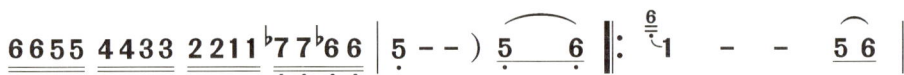

1=C 4/4

中速稍慢

$(671235 | \overset{>}{6}6. \overset{>}{6}6. \widehat{677} 66\overset{\frown}{1}1 | \overset{>}{7}7. \overset{>}{7}7. \ 7 \ 66 \ 5577 |$

$6655 \ 4433 \ 2211 | 7766 | 5 - -) \ \overset{\frown}{5} \ 6 \| : \overset{6}{1} - - \ 56 |$

　　　　　　　　　　　　　　　　1. 绿　　草　　苍
　　　　　　　　　　　　　　　　2.(绿)　草　　萋

$\overset{5}{3} - - \ \overset{\overset{3}{\frown}}{613} | 2 - - \ \overset{\overset{3}{\frown}}{363} | \overset{3}{5} - - \ 5 |$

苍，　　白　雾　茫　茫，　　有
萋，　　白　雾　迷　离，　　有

$6 - - \ \overset{\overset{3}{\frown}}{765} | \overset{5}{3} - - \ \overset{\frown}{55} | 2 - - \ \overset{\frown}{67} |$

位　佳　人，　在　水　一
位　佳　人，　靠　水　而

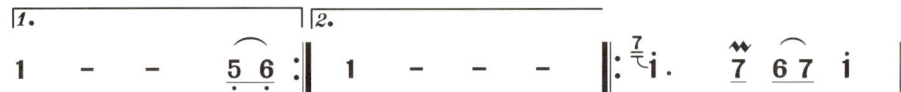

1. 　　　　　　　　　　　　　2.

$1 - - \ \overset{\frown}{56} : \| 1 - - - \| \overset{7}{1}. \ \overset{\frown}{767} \ \overset{\frown}{1} |$

方。　　2.绿　居。　　　3.我　愿逆　流
　　　　　　　　　　　　4.我　愿逆　流

$\overset{\frown}{34} \ 5 - - | \overset{\frown}{654} \ 3\overset{\frown}{63} | 2 - - \ \overset{\frown}{34} | 5. \ \overset{\frown}{56} 5\overset{\frown}{43} |$

而　上，　依偎　在她身旁，　无　奈前有险
而　上，　与她　轻言细语，　无　奈前有险

2 — — 2 3 | 4. 7 1 7 2 5 6 | 5 — — — |

滩， 道 路 又 远 又 长。
滩， 道 路 曲 折 无 已。

1. 7 6 7 1 | 3 4 5 — — | 6 5 4 3 6 3 |

我 愿 顺 流 而 下， 找 寻 她 的 地
我 愿 顺 流 而 下， 找 寻 她 的 足

2 — — 3 4 | 5. 5 6 5 4 3 | 2 — — 2 3 |

方， 却 见 依 稀 仿 佛， 她
迹， 却 见 仿 佛 依 稀， 她

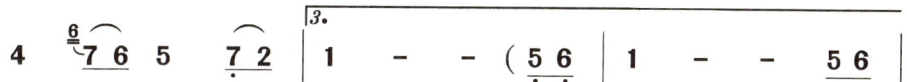

4 6 7 6 5 7 2 | 1 — — (5 6 | 1 — — 5 6 |

3.

在 水 的 中 央。
在 水 中 伫

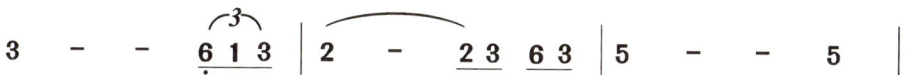

3 — — 6 1 3 | 2 — 2 3 6 3 | 5 — — 5 |

6 — 6 7 6 5 | 3 — — 5 5 | 2 — — 6 7 |

1 — — —) : || 1 — — 5 6 | 1 — — 5 6 |

4.

立。 绿 草 苍
3 — — 6 1 3 | 2 — — 3 6 3 | 5 — — 5 |

苍， 白 雾 茫 茫， 有

水

歌曲

$\overset{5}{6}$ − − $\overline{765}$ | $\overset{5}{3}$ − − $\overline{\underset{\cdot}{5}5}$ | 2 − − $\overline{6\,7}$ |

位　　佳　人，　　在　水　一

1 − − − | 1　0　0 ‖

方。

78. 逍遥游

詹天高 词
徐楠 曲

1=F 2/4

欢快、抒情地

(i.̇ i̇ 6 5 | 1 6 5 3 2. 3 | 2 0 3 2 1 | 2 0 3 2 1 | 5 3 5 2 1 1 6 |

1 0 3 2 1 6 | 5. 1 2 1 2 3) 5 0 2 3 6 | 5 3 5. | 5 3 2 1 6 5 3 |

1.水 悠 悠, 船 悠
2.情 悠 悠, 歌 悠

2 1 2. | 5 0 6 5 3 | 2 5 3 2 1 | 5 3 2 1 6 5 6 | 1 2 1. |

悠, 逍 遥 津 上 荡 轻 舟, 荡 轻 舟。
悠, 逍 遥 津 上 荡 轻 舟, 荡 轻 舟。

2 2 5 6 2 7 | 6 5 6. | 3 3 1 6 1 2 | 3 2 3. | 6 0 i 6 5 |

弯 弯 石 拱 桥, 漾 漾 水 上 楼, 九 曲 回 廊
船 头 杨 柳 风, 船 后 春 水 绉, 湖 心 亭 畔

5 6 5 3 2 3 5 | 1 1 0 2 | 3 5 2 3 5 | 5 3 2 1 2 1 5 | 6 - |

丝 弦 奏, 悠扬 歌 声 唱 庐 州,
花 色 新, 挽住 船 儿 不 愿 走,

1 1 0 2 | 3 5 2 3 5 | 5 2 5 1 2 1 6 | 1 5. | 1 0 1 6 5 |

悠扬 歌 声 唱 庐 州。 来 来来来
挽住 船 儿 不 愿 走。 来 来来来

3 2 3. | 5. 2 3 5 | 6 5 6. | i.̇ i̇ 6 5 | 1 6 5 3 2 |

来来来 来 来来来 来来来, 双 双 倩 影 水 道 中,
来来来 来 来来来 来来来, 知 心 人 儿 知 心 话,

197

水

歌曲

$5 \; 5 \; 2 \; 3 \; 5 \; | \; 6 \; 5 \; 6. \; | \; 2 \; 0 \; 3 \; 2 \; 1 \; | \; 2 \; 0 \; 3 \; 2 \; 1 \; | \; 5 \; 3 \; 5 \; 2 \; 1 \; 1 \; 6 \; |$

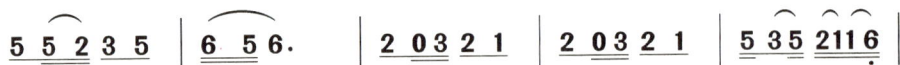

船随 水漂 流。　　水 也温柔，情 也温柔，难得 逍遥
一半 留心 头。　　景 也风流，人 也风流，难忘 逍遥

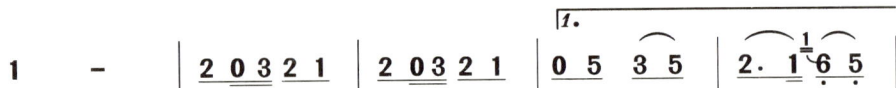

$1 \qquad - \qquad | \; 2 \; 0 \; 3 \; 2 \; 1 \; | \; 2 \; 0 \; 3 \; 2 \; 1 \; | \; 0 \; 5 \; 3 \; 5 \; | \; 2. \; 1 \; 6 \; 5 \; |$

1.

游。　　　水 也温柔，情 也温柔，　难得　逍遥
游。　　　景 也风流，人 也风流，

$1 \; 0 \; 3 \; 2 \; 1 \; 6 \; | \; 5 \qquad - \qquad : \| \; 0 \; \dot{1} \; 6 \; 5 \; | \; \dot{1} \; 6 \; \dot{1} \; 2 \; 5 \; 6 \; 5 \; 3 \; | \; 2 \; 0 \; 3 \; 2 \; 1 \; 6 \; |$

渐慢　　**2.**

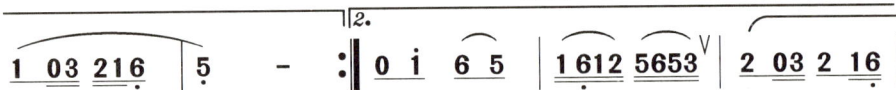

游。　　　　　　难忘　逍遥　游。

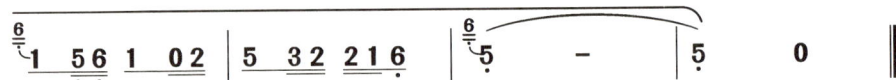

$1 \; 5 \; 6 \; 1 \; 0 \; 2 \; | \; 5 \; 3 \; 2 \; 2 \; 1 \; 6 \; | \; 5 \qquad - \qquad 5 \qquad 0 \qquad \|$

水文化教育丛书

79. 雨打农家竹篱笆

1=C 2/4

王冠林 词
徐代泉 曲

欢快地

(5 56 53 | 2 23 21 | 1 6 5 | 6 666) | 1 6 5 |

1.沙　　　沙
2.沙　　　沙

6 (666) | 1 3 5 | 6 (666) | 1 1 2 1 6 | 5. 6 2 7 |

沙，　　　沙 沙 沙，　　雨打 农家 竹 篱
沙，　　　沙 沙 沙，　　雨打 农家 竹 篱

6 6 1 35 | 6 (666) | 5 3 2 | 3 (333) | 5 1 2 |

笆呀，　　　　沙 沙 沙，　　沙　　沙
笆呀，　　　　沙 沙 沙，　　沙　　沙

3 (333) | 5 56 53 | 2. 3 21 | 1 6 5 | 6 (666) |

沙，　　雨打 农家 竹 篱 笆 呀。
沙，　　雨打 农家 竹 篱 笆 呀。

5 56 53 | 2 23 21 | 1 6 5 | 6) | 1 6 | 3 － |

溅　　起
溅　　起

3 65 | 6 － | 6 53 | 6 － | 6 | 1 2 |

声 声 笑，　　逗　　乐　　　鸡鹅
声 声 笑，　　逗　　乐　　　瓜果

199

水
歌曲

水文化教育丛书

3 － | 3 1 1 | 6· 6· 6· | (6666 #5 6) | 0 6 i |

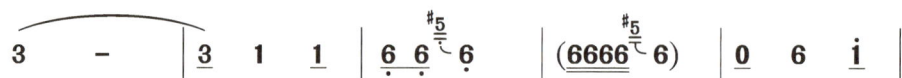

鸭。　　母鸡 咯咯咯，　　　　大鹅
花。　　瓜长 胖娃娃，　　　　果结

6 5 3 | (6665 #2 3) | 0 6 3 | 2 2 2 | 5 5 3 |

嘎嘎 嘎，　　白鸭 呷呷呷，　篱笆下
珍珠 塔，　　花开 五彩霞，　篱笆下

2·3 2 1 | 1 6· 5· | 6· 0 | 3 5 6 | i 3 3 |

跳着 小青 蛙。　　小青蛙， 小青蛙，
挂着 金喇 叭。　　金喇叭， 金喇叭，

p

3 i 6 5 | 6 5 6 | i i i i | 6 6 6 5 | 3·2 3 5 |

咕儿 呱，咕儿呱！　咕呱咕呱 咕呱咕呱，笑声好像
嘀嘀 嗒，嘀嘀嗒！　嘀嗒嘀嗒 嘀嗒嘀嗒，笑声陶醉

6 5 6 | 0 3 5 | 6 i | 2 － | 2 － |

春雨洒，　　笑声好　　像
小康家，　　笑声陶　　醉

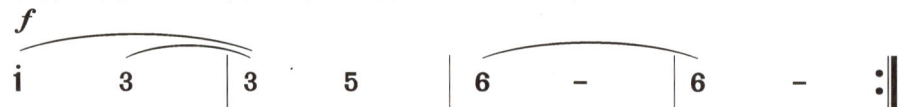

f

i 3 3 5 | 6 － 6 － :‖

春　　雨　洒。
小　　康　家。

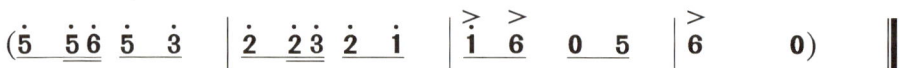

(5 56 53 3 | 2 23 21 i | i 6 0 5 | 6 0) ‖

80. 边疆的泉水清又纯

1=D 2/4

凯 传 词
王 酩 曲

慢 抒情地

(3̇ 2̇ 3 2̇ 1 | 2̇ 6 1 6 5 | 5 6 6 5 3 2 1 |

2.3 2 1 1 6 | 1 -) | 5 5 5 6 3 2 3 |

边疆的 泉
顶天的 青

1. 2 | 3 2 3 2 1 6 5 | 5 - |

水 清 又 纯，
松 扎 深 根，

5 5 5 6 2 1 2 | 1 6. 1 | 5 6 6 5 3 2 1 |

边疆的 歌 儿 暖 人 心，
人民的 军 队 爱 人 民，

2.3 2 1 1 6 | 1 - | 5 5 6 5 3 2 1 |

暖 人 心。 清清 泉 水
爱 人 民。 浩浩 林 海

6 1 2 1 1 | 1 1 2 2 1 6 5 | 5 6 5 5 |

流 不 尽， 声声 赞 歌 唱亲 人，
根 相 连， 军民 联 防 一条 心，

6 0 1 6 5 5 5 3 | 2.3 2 1 2 | 5 6 6 5 3 2 1 |

唱 亲 人 边防军， 军民鱼水情意深，
一 条 心 保边疆， 锦绣河山万年春，

201

情　　意　　深。　　　　哎！
万　　年　　春。　　　　哎！

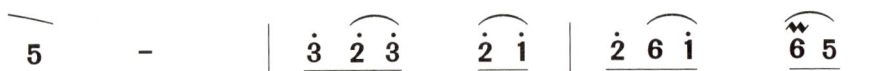

唱亲　　人　　边防　　军，
条　心　　保边　　疆，

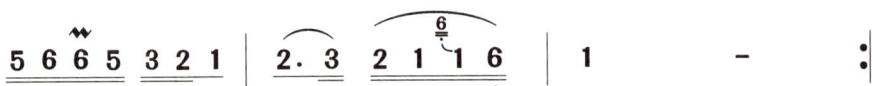

军民鱼水情意深，情　意　　深。
锦绣河山万年春，万　年　　春。

渐慢

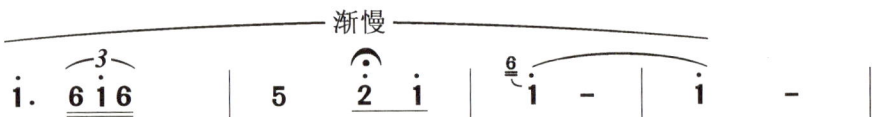

哎！

81. 月 牙 泉

1=F 4/4

杨海潮 词曲

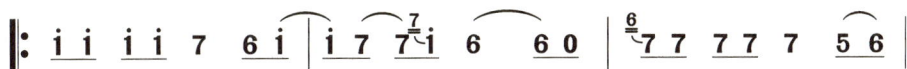

1. 就在天的那边很 远 很远， 有美丽的月牙
2. 每当太阳落向西 边 的山， 天边映出月牙

泉。 她是天的镜子,沙 漠 的眼,
泉。 每当驼铃声 掠 过耳边,

星星沐浴的乐 园。 从那年我月牙泉
仿佛又回月牙 泉。 我的心里藏着忧

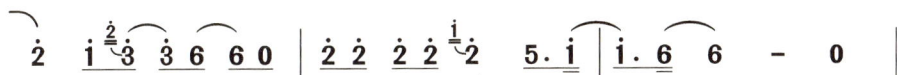

边走 过， 从此以后魂 绕梦 牵。
郁无 限， 月 牙泉是否依 然。

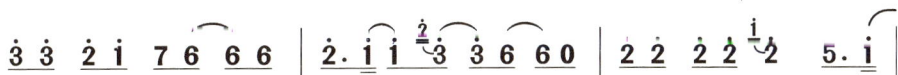

也许你们不懂 得 这种爱 恋， 除非也去那 里看
如今每个地方都 在 改 变， 她是否也换了容

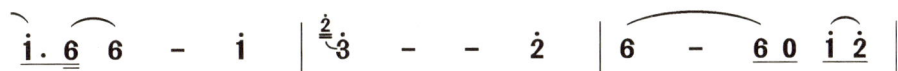

看。 看那 看那 月
颜。

203

水歌曲

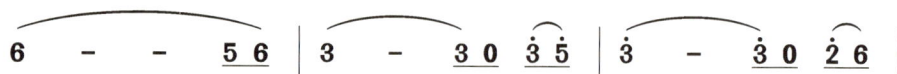

牙　　　　　泉，　　想　啊，　　念

啊，　　　月　牙　　　　　泉。

结束句

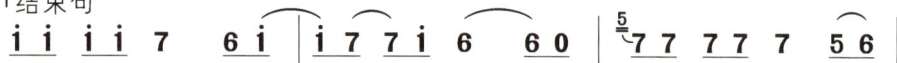

就在天的那　边很　远　很远，　　有美丽的月牙

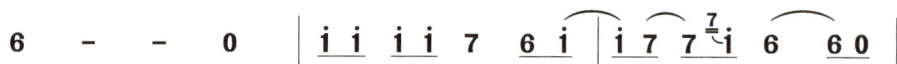

泉。　　　　　　她是天的镜子,沙　漠　的眼，

星星沐浴的乐　　园。

水文化教育丛书

204

82. 蝴蝶泉边

电影《五朵金花》插曲

季康 词
雷振邦 曲

1=C 3/4 2/4

♩=60

（女）哎　　　　　哎　　大理 三月　好风光

哎，　　　蝴蝶 泉边　好梳 妆，蝴蝶 飞来　采花 蜜哟，

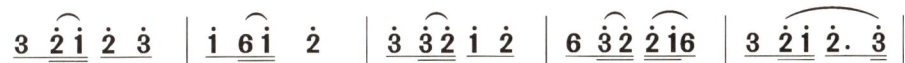

阿妹 梳头　为哪 桩？　蝴蝶 飞来　采花 蜜，　阿妹

转 1=F（前6＝后3）

梳头　　　为 哪　桩？　　（男）哎

蝴蝶 泉水 清又　清，　　　丢个 石头 试水　深，

有心 摘花 怕有　刺，　　徘徊 心不 定　啊咿

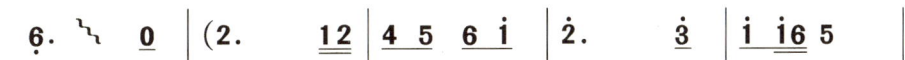

哟！

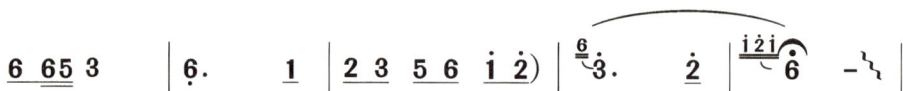

（女）哎

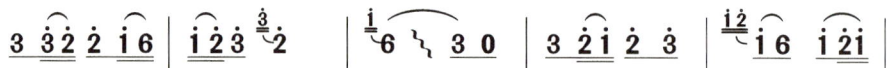

有心 摘花 莫怕刺　哎，　　有心 唱歌 莫多

问，　　有心 撒网　　莫怕水哟，见　面　好相

转1=F（前6=后3）♩=108

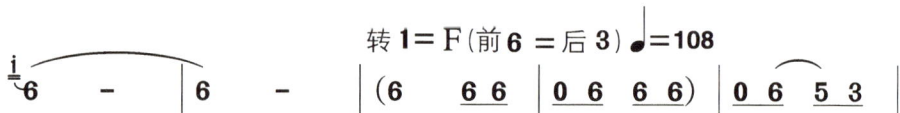

认。　　　　　　　　　　　　　（男）阳　雀

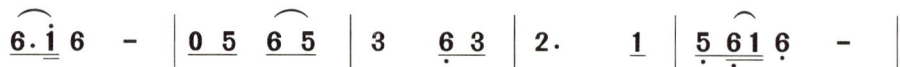

飞 过　高山 顶，留下 一　串 响铃声，

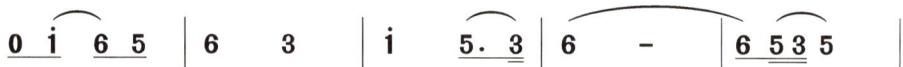

阿　妹 送我　金荷　包　　　哟，

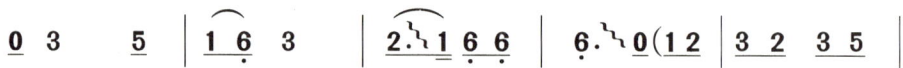

哥　是 有 情　人　啊咿　哟！

♩=72

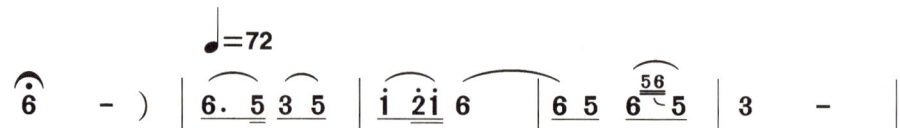

（女）燕　子 衔泥　为做　窝，

206

$\underset{\cdot}{6}$ $\underset{\cdot}{3}$ $2.$ 1 | $\underset{\cdot}{5}$ $\underset{\cdot}{6}$ $\widehat{1}$ $\underset{\cdot}{6}$ | $\underset{\cdot}{6}$ $-$ | $\widehat{1}$ $\underset{\cdot}{6}$ 5 $\widehat{6}$ 5 | $3.$ 5 |

有情 无 情 口难 说，　　相交要　学

$\widehat{1.}$ $\underset{\cdot}{2}$ $\widehat{1}$ 5 | $6.$ $\widehat{1}$ 5 3 5 | 0 1 2 | 3 5 | $\widehat{2.}$ $\widehat{1}$ $\underset{\cdot}{6}$ $\underset{\cdot}{6}$ |

长 流 水 哟，　朝 露 哥 莫 学 啊咿

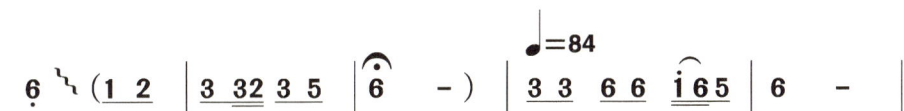

$\underset{\cdot}{6}$ $\sim$ ($\underline{1}$ $\underline{2}$ | 3 $\underline{3\,2}$ 3 5 | $\widehat{6}$ $-$) | 3 3 6 6 $\widehat{1}$ 6 5 | 6 $-$ |

哟!　　　　　　　　　　（男）祖传 三代 是 铁 匠，

$\underset{\text{♩=84}}{}$

$3.$ $\underline{2}$ 3 5 $\widehat{1}$ 6 | 5 $-$ | 5 $\widehat{6}$ 5 3 5 | $\widehat{1}$ 6 $\widehat{6}$ 5 3 | 3 5 1 3 |

炼 得好钢 锈不 生，　哥心 似钢 最坚 韧，　妹莫 看错

$2.$ $\sim$ 0 | $\underset{\cdot}{6}$ $\underset{\cdot}{6}$ $\underset{\cdot}{6}$ $\underset{\cdot}{6}$ | $\widehat{1}$ 6 5 6 | 5 5 3 6 $\widehat{1}$ | 5 $\widehat{6}$ 5 3 |

人。　　送把 钢刀 佩妹 身，　钢刀 便是 好见 证，

3 $\widehat{3\,2}$ 3 5 $\widehat{1}$ 5 | $6.$ $\widehat{1}$ | 3 $\overset{>}{3}$ $\overset{>}{2}$ $\overset{>}{5}$ $\overset{>}{7}$ | $\overset{>}{6}$ $-$ $-$ |

苍山 雪化 洱海 干，　难折 好钢 刃。　　　（女）

转 1 = C（前 6 = 后 2）♩=60

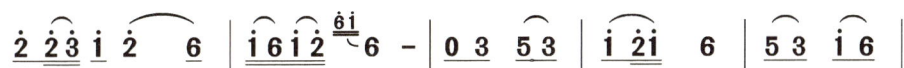

$\dot{2}$ $\dot{2}$ 3 $\dot{1}$ 2 | 6 | $\widehat{1}$ 6 $\widehat{1}$ 2 $\overset{\widehat{6\,1}}{}$ | 6 $-$ | 0 3 5 3 | $\widehat{1}$ $\dot{2}$ $\widehat{1}$ | 6 | 5 3 $\widehat{1}$ 6 |

橄榄 好吃 　回味 甜，　打开 青 苔 喝 山

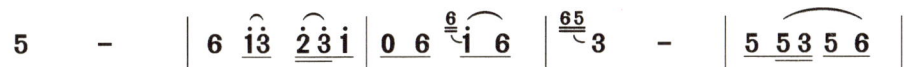

5 $-$ | 6 $\widehat{1}$ 3 $\widehat{2}$ 3 $\widehat{1}$ | 0 6 $\overset{6}{\widehat{1}}$ 6 | $\overset{65}{3}$ $-$ | 5 5 3 5 6 |

泉，　 山盟 海誓 先莫 　讲，　　相会

207

水

歌曲

待　明　　年。　　　明年花开　蝴蝶飞，　阿哥有心

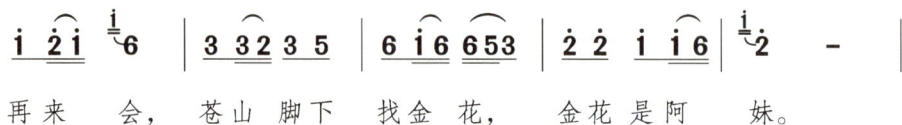

再来　会，苍山　脚下　找金　花，　金花是阿　　妹。

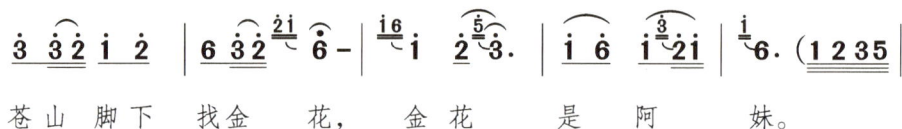

苍山　脚下　找金　花，　金花　　是　阿　　妹。

83.延 水 谣

1=G 2/4

稍慢 优美地

熊 复 词
郑律成 曲

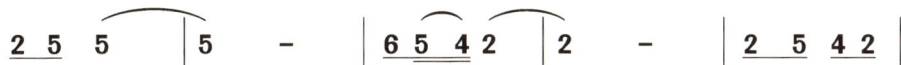

| 2 5 5 | 5 - | 6 5 4 2 | 2 - | 2 5 4 2 |

延水 浊， 延水 清， 情 郎 哥哥
延水 清， 延水 浊， 小 妹子来送

| 1 2 1 6 | 5 - | 5 0 | 1 1 1 | 2 5 2 5 |

去 当 兵。 当兵 啊 要当 抗日
情 郎 哥。 哥哥 你 前方 去打

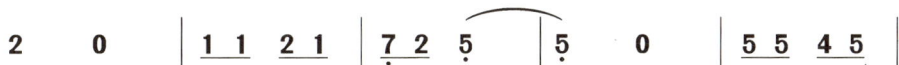

| 2 0 | 1 1 2 1 | 7 2 5 | 5 0 | 5 5 4 5 |

兵， 不是 好铁 不打 钉。 拿起 锄头
仗， 要和 鬼子 拼死 活。 奴家 织布

| 6 4 2 0 | 5 5 4 5 | 6 4 2 | 2 2 1 3 | 2 - |

好种田， 拿起 枪杆 上火 线， 救国 有名 声。
又开荒， 冬有 棉衣 夏有 粮， 莫为 奴难 过。

| 2 0 : 2 5 5 | 5 - | 6 5 4 2 | 2 - |

延水 浊， 延水 清，

| 2 5 4 2 | 1 2 1 6 | 5 - | 5 0 |

情郎 哥哥 去 当 兵。

209

84. 花 溪 水

电影《柳暗花明》插曲

1=♭E 4/4

中速 抒情地

时乐濛　陆祖龙　词曲

(i. ż6i5 6. i563 ｜ 1. 2 3565 5.　　 3 ｜

2. 6 5323 1. 6 5 6) ‖: 5 53 2 5 ⁵3. 21 ｜

1.2.清　清的 花溪 水，

i ż3 żi i65　　 —　 ｜ 5 5 6i. żżi655 3 ｜

绕村　向 东 流。　　　 穿过了多 少险石 滩，
　　　　　　　　　　　 群山 叠翠浪 花 飞，

2. 5 5321 2　　 —　 ｜ 3. 21 12 323 0 35 ｜

洗　掉多少 愁。　　　 阳光明灿 灿 呀，
日　夜不停 留。　　　 浇开幸福 花 呀，

3. 6 6532 5 5ⱽ ｜ 6i6 ｜ 5. 6i.　　 6i ż. 3 ｜

红 花满 枝头呃，　 哎！　　　　
人 人暖 心头呃，　 哎！　　　　

3. ż ⱽ iżżi 6. 5 ｜ 2/4 6　　 —　 ｜

3.

4/4 i. ż6i65 6. i5653 ｜ 1. 2 3565 5.　　 3 ｜

清 波荡 漾春 风吹来，山 川多 清 秀，
待 到宏 图化 捷报时，大 地似 锦 绣，

$\widehat{2 \cdot} \quad \widehat{6} \quad \widehat{5 \ 3 \ 2 \ 3} \quad 1 \quad - \quad :\| \quad \dot{1} \quad - \quad \dot{1}^{\lor} \ \dot{6} \ \dot{1} \ \overset{.}{2} \cdot \quad \overset{.}{3} \|$

多　清　秀。　　　哎！

似　锦　绣。

$\overset{2}{\underset{3}{\cdot}} \quad - \quad - \quad \overset{.}{3} \ \overset{.}{2}^{\lor} \ | \ \dot{1} \ \dot{2} \ \dot{2} \ \dot{1} \ \dot{6} \cdot \ 5 \ 6 \quad - \ |$

$\widehat{\dot{1} \cdot} \ \overset{\overset{3}{\frown}}{\dot{2} \ \dot{6} \ \dot{1}} \ \widehat{6 \ 5} \ \widehat{6 \cdot \ \dot{1}} \ \overset{\overset{3}{\frown}}{5 \ 6 \ 5 \ 3} \ | \ \widehat{1 \cdot \ \dot{2}} \ \widehat{3 \ 5} \ \widehat{6 \ 5} \ 5 \cdot \quad 3 \ |$

待　到宏　图化　捷报　时，大　地似　锦　绣，

渐慢

$\widehat{2 \cdot} \ \widehat{6} \ \widehat{5 \ 3 \ 2 \ 3} \ 1 \quad - \ | \ \widehat{2 \cdot} \ \widehat{6} \ \widehat{5 \ 3} \ \overset{\frown}{\dot{2}} \ \overset{\frown}{\dot{1}} \ - \ \|$

似　锦　绣，　　似　锦　绣。

85. 二泉吟

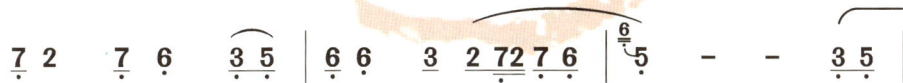
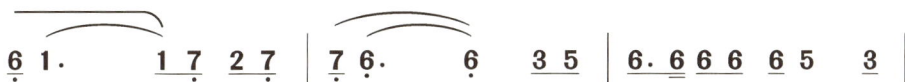

86. 岩口滴水

任萍 田川 词
罗宗贤 曲

1=♭B 2/4
行板

(7 6765 | 6. 5 | 3 2321 | 2. 1 | 2 — |

2 22 | 3 —) | 1161 2 | 3 — | 6.5 3.532 |
岩 口 滴 水 打 石

1 61 1 | 1 232 12 | 65 66 | 1 21 | 656 6 |
崖，点 点 滴 滴 落 下 来。

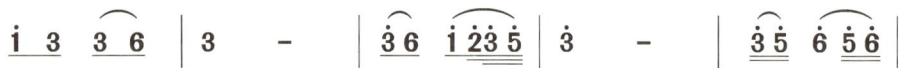

1 3 36 | 3 — | 36 1235 | 3 — | 35 656 |
滴 水 穿 石 力 量 大，打 得

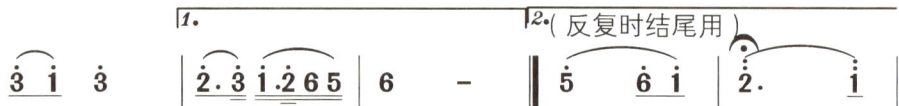

1.
3 1 3 | 2.31.265 | 6 — ‖ *2.(反复时结尾用)*
磐 石 如 花 开。

5 61 | 2. 1 |
如 花

6 — ‖ *热情地*
开！ *Fine.*

2 2.3 166 | 2 2.3 166 |
阿 哥 你 南 山 去 修 路 呀 嗨！

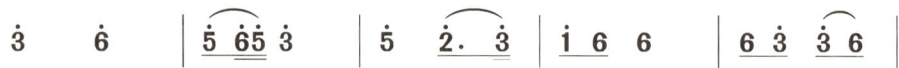

3 6 | 565 3 | 5 2.3 | 166 | 63 36 |
一 镐 一 镐 把 山 开 呀 嗨。镐 头 磨

2. 3 | 62 26 | 2 — | 36 6 | 52 35 |
成 锤 头 样，路 像 金 龙

$\overset{\frown}{\underset{\cdot}{5}6}$ $\underset{\cdot}{6}$ $|$ 6 $-$ $\|$ $\overset{\cdot}{3}\overset{\frown}{\underset{\cdot}{6}}$ $\overset{\frown}{\underset{\cdot}{6}\underset{\cdot}{3}}$ $|$ $\overset{\cdot}{3}$ $-$ $\lll$ $|$ $\overset{\cdot}{3}\overset{\frown}{\underset{\cdot}{6}}$ $\overset{\frown}{\underset{\cdot}{6}\underset{\cdot}{3}}$ $|$

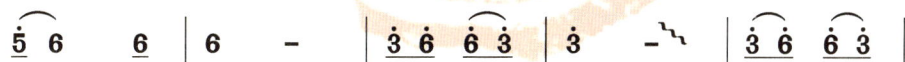

绕　　山　崖。　　　　路像金　龙　　绕　山

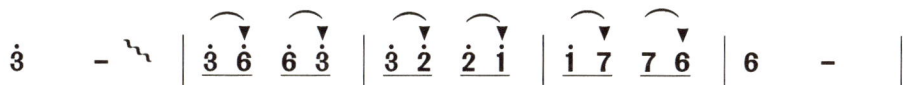

$\overset{\cdot}{3}$ $-$ $\lll$ $|$ $\overset{\cdot}{3}\overset{\frown}{\underset{\cdot}{6}}$ $\overset{\frown}{\underset{\cdot}{6}\underset{\cdot}{3}}$ $|$ $\overset{\frown}{\underset{\cdot}{3}\underset{\cdot}{2}}$ $\overset{\frown}{\underset{\cdot}{2}\underset{\cdot}{1}}$ $|$ $\overset{\frown}{\dot{1}\underset{\cdot}{7}}$ $\overset{\frown}{\underset{\cdot}{7}\underset{\cdot}{6}}$ $|$ 6 $-$ $|$

崖，　　　驶　着　幸　福　游　过　来。

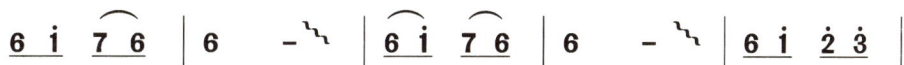

$\overset{\frown}{6\dot{1}}$ $\underline{76}$ $|$ 6 $-$ $\lll$ $|$ $\overset{\frown}{6\dot{1}}$ $\underline{76}$ $|$ 6 $-$ $\lll$ $|$ $\underline{6\dot{1}}$ $\underline{23}$ $|$

穷山变　成　　　花　果　山，　　摘朵鲜花

mf

$\underline{\overset{\cdot}{3}\underline{5}}$ $\underline{2}$ $|$ $\overset{\cdot}{3}$ $-$ $|$ $\underline{\overset{\cdot}{3}\underline{5}}$ $\underline{\overset{\cdot}{6}\overset{\cdot}{6}}$ $|$ $\underline{\overset{\cdot}{5}\underline{7}}$ $\underline{\overset{\cdot}{5}}$ $|$ 6 $-$ $\|$

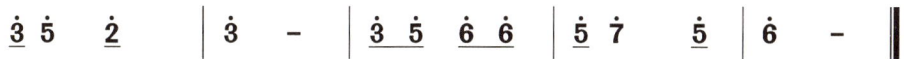

给阿　哥　　戴，　　摘朵鲜花　给阿　哥　戴。 *D.C.*

215

87. 梦里水乡

洛　兵　词
周　迪　曲

1=D 4/4

```
(5̣ 6̣ | 5. 6̌5 3523 | 5 - - 5̣ 6̣ | 2. 2 6̣6̣5̣ 1232 |

2 - - 5̣ 6̣ | 5. 6̌5 3523 | 5 - - 6̣ 32 |

1. 32 2 6̣5̣6̣1̣ | 1 - - 0 ) ‖: 0. 5̣ 1 2 3 5 5 5 3 2 1 2 3
```

春天的黄昏，　请你　陪我到
暖暖的午后，　闪过一片片

```
1 1 1 6̣ 6̣ 5̣ 5̣ - | 0. 5̣ 1 2 3 5 5 3 2 1 2 3 2
```

梦中的水乡，　　　让挥动的手　在薄雾中飘
粉红的衣裳，　　　谁也载不走　那扇古老的

```
2 - - - | 0 3 5 5 3 6 5 1 1 6̣ 5̣
```

荡。　　　　不要惊醒　杨柳岸　那些
窗。　　　　玲珑少年　在岸上　守候

```
1 1 1 2 5 3 3 | 0 3 1 ‖1. 2 2 2 2 2. 6̣ 1 1 2 1 6̣ |
```

缠绵的往事，　化作　一缕轻烟　已消失在远
一生的时光，　为何

```
5̣ - - 0 ‖2. 2 2 3 2 2. 6̣ 1 1 2 2 3
```

方。　　没能做个　你盼望的　新

```
5̣ - - 5̣ 6̣ | 5 5 5 3 2 1 2 3 ³5 2 3
```

娘。　　淡淡　相思都写在脸　上，　沉沉

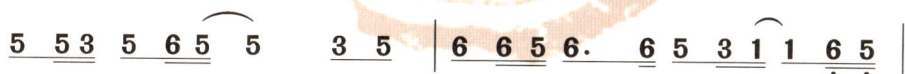

5 5̲3̲ 5 6̲5̲ ⌒5   3 5 | 6 6̲5̲ 6. 6̲5̲ 3̲1̲ 1 6̲5̲ |
离 别背 在 肩上。   泪水   流 过脸庞，所有 的话   现在

1 1 1 2̲3̲ ⌒3   5̲ 6̲ | 5 5̲3̲2̲1̲ 2̲3̲5̲ ⌒ 2 3 |
还 是 没 有 讲。   看那   青 山荡 漾在水 上， 看那

5 5̲3̲5̲ 6̲5̲ ⌒5   3 5 | 6 6̲5̲ 6. 1̲̇ 5̲ 3̲2̲ 1̲2̲3̲ |
晚 霞吻着 夕阳。   我用   一 生的爱 去寻 找那一个家，

2 6̲5̲ 1̲ 5̲3̲ ⌒3   5̲6̲ 1 | 2 2̲1̲ 2̲ 3̲2̲ ⌒2   5̲ 3 |
今 夜你在 何方？   转回头 迎 着你的 笑颜，   心事

2̲ 2̲1̲2̲3̲ 2   6̲ 3 | 2̲2̲3̲2̲1̲6̲ ⌒ 5̲5̲5̲5̲6̲1̲ | 1 — — ‖
全 都被你发 现， 梦里 遥 远的幸 福，它就在我的身 旁。

88. 世纪春雨

1 = A 4/4

活泼、优美地

韩静霆 词
印 青 曲

啦 啦啦啦 啦啦 啦 啦 啦 啦啦 啦 啦啦啦 啦啦

啦 啦 啦 啦 啦啦啦 啦啦 啦 啦 啦 啦啦

啦 啦啦啦 啦啦 啦啦 啦啦啦 啦

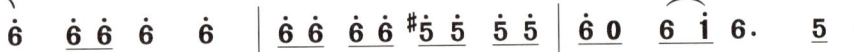

沙啦 啦 啦 沙啦 啦啦 沙啦 啦啦 啦 清 爽 的

风 送 来 了

世 纪 的 春 雨,

大 地 一 片 新 绿,
大 地 一 片 生 机,

一 片 新 绿。

一 片 生 机。

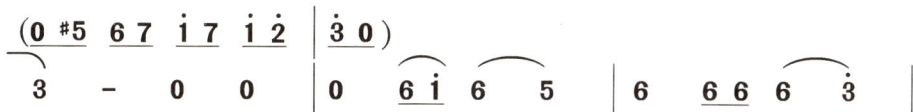

带 着 美 好 的 感

觉, 我 们 去

踏 雨, 走 进 那

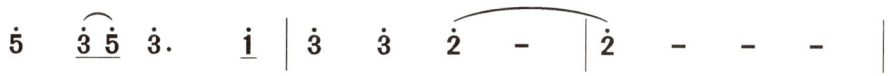

绿 莹 莹 的 新 世 纪,

新 世 纪。

（伴）啦 啦 啦 啦 啦 啦 啦 啦 啦 啦 啦

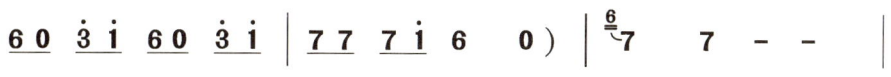

啦 啦 啦 啦 啦 啦 啦 啦 啦 啦　　雨 啊,

雨 啊,

219

渗 透 江 南 塞 北 五 色 土。
荡 涤 大 地 百 年 的 尘 烟。

雨 啊，梳 妆 着 都 市 村 庄 更 加
雨 啊，祝 福 着 千 年 希 望 之 树

靓 丽，温 馨 着 风 尘 仆 仆 的
长 绿，呼 唤 着 蓝 蓝 海 峡 的

心 灵，传 递 崭 新 的
世 纪 团 聚，眺 望 未 来

人 生 创 意。
收 获 奇 迹。

啦 啦 啦 啦 啦 啦 啦

啦 啦 啦 啦 啦 啦 啦

$\dot{2}$ $\dot{3}$ $\dot{7}$ $\dot{6}$ | $\dot{5}$ — — — | $\overset{5}{\dot{6}}$ — $\dot{6}$ $\dot{3}$ |

啦 啦 啦 啦 啦　　　　　啦　啦 啦

$\dot{3}$ — — — | $\overset{5}{\dot{6}}$ — 6 $\dot{2}$ | $\dot{2}$ — — — |

啦　　　　啦　啦 啦 啦

$\dot{1}$ $\dot{2}$ $\dot{3}$ $\dot{5}$ | $\dot{5}$ $\dot{3}$ $\dot{5}$ $\dot{6}$ | $\dot{6}$ — — — |

啦 啦 啦 啦　啦 啦 啦 啦

结束句
稍慢

$\dot{6}$ — — — :‖ 0 $\dot{3}$ $\dot{5}$ $\dot{6}$ | $\dot{7}$ — — $\dot{6}$ |

　　　　　D.S. 啦 啦 啦 啦　　啦

$\dot{6}$ — — — | $\dot{6}$ — $\dot{6}$ 0 0 ‖

啦　　　啦

89. 江河万古流

1＝D 4/4

中速

苏叔阳 词
王立平 曲

90. 泉水叮咚响

1=D 2/4

稍慢

马金星 词
吕 远 曲

$(\underline{3.}\ \underline{\dot{2}}\ \underline{\dot{1}}\ \underline{63}\ |\ \underline{23}\underline{\dot{2}\dot{1}}\ \underline{\dot{1}65}\ |\ \underline{3535}\ \underline{\dot{1}}\ \dot{2}\ |\ \underline{5.}\ \underline{\dot{1}}\ \underline{6\dot{1}5}\ |\ \underline{3.}\ \underline{5}\ \underline{65\dot{1}}\ |$

$\underline{6\dot{1}65}\ \underline{323}\ |\ \underline{5\ 1}\ \underline{3.\ 2}\ |\ \underline{1\ 5}\ \underline{\dot{1}\ 65}\ |\ \underline{1\ 5}\ \underline{\dot{1}\ 65}\ )\ |\ \underline{3\ 3}\ \underline{5\ 65}\ |$

1.2.泉水 叮咚，

$\underline{3\ 3}\ \underline{5\ 65}\ |\ \underline{3\ 3}\ \underline{5\ \dot{1}\ \dot{2}}\ |\ 5\ -\ |\ \underline{\dot{1}\ \dot{1}}\ \underline{\dot{1}\ \dot{2}\ \dot{1}}\ |\ \underline{6\ 6}\ \underline{\dot{1}\ 65}\ |$

泉水 叮咚，泉水 叮咚 响，　　跳下了山岗，走过了草地，

$\underline{5\ \overset{5}{\underset{}{1}}}\ \underline{5\ 3}\ |\ 2\ -\ |\ \underline{3\ 3}\ \underline{5\ 32}\ |\ \underline{1\ 1}\ \underline{2\ 3\ 5}\ |\ \underline{6\ 56}\ \underline{\dot{1}\ 5}\ |$

来到 我身 旁。　　泉水啊泉水 你到 哪里 你到 哪里

$\underline{\dot{1}\ 6}\quad\dot{1}\ |\ \underline{5\ 5}\ \underline{6\ \dot{1}\ \dot{2}}\ |\ \underline{6\ 6}\ \underline{\dot{1}\ 65}\ |\ \underline{5\ 1}\ \underline{3\ \overset{\frown}{2}}\ |\ 1\ -\ \overset{\displaystyle(0.\ \underline{6}\ \underline{1235}}{}$

去?　　唱着 歌儿 弹着 琴弦 流向远 方。

$\underline{\dot{1}\ \dot{1}}\ \underline{\dot{1}\ 6\ 5}\ |\ \underline{3535}\ \underline{65\ \dot{1}}\ |\ \underline{6.\dot{1}65}\ \underline{356\dot{1}}\ |\ \underline{5\ 0\dot{1}}\ \underline{6532}\ |\ \underline{1.\ \dot{1}}\ \underline{6\dot{1}23}\ |$

$\dot{1})\ \dot{1}\ \dot{1}\ 6\ |\ \underline{3\dot{2}3\dot{1}.6}\ |\ \underline{5\ 5}\ \underline{3\ 5\ 3}\ |\ \dot{2}\ -\ |\ \underline{\dot{2}\ \dot{1}}\ \underline{\dot{1}\ 6}\ |$

请你 带 上 我的 一颗 心，　　绕 过
请你 告 诉 我的 心上 人，　　不 要

$\overline{3.2}$ $\overline{1.3}$ | $\overline{2\,2}$ $\overline{1\,656}$ | 5   – | 0 $\overline{1\,\,\overset{\frown}{6}}$ | $\overline{5.\,\dot{1}}$ $\overline{1\,65}$ |

高　山　一起　到海洋。　　　泉水啊　泉　水
想　我　也不　要想家乡。　　　只要他　听　到这

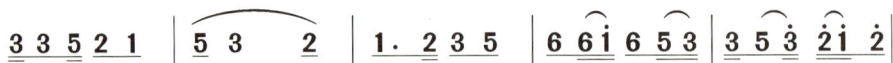

$\overline{33}\overline{521}$ | $\overline{53}$ 2 | $\overline{1.\,2}$ $\overline{35}$ | $\overline{66}\overline{165\,3}$ | $\overline{353}\overline{21}$ 2 |

你应该记得　他，　　在　你身旁　是我　送他　参军　去海
泉水　叮咚　响，　　这　就是我　愿他　日夜　紧握　手中

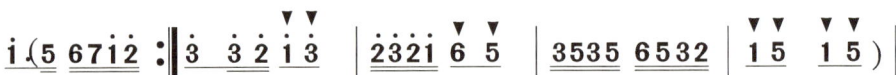

$\dot{1}\,(\overline{56}\overline{71}\dot{2}\,$ ‖: $\overline{3\,\,\,3}\overline{213}$ | $\overline{232}\overline{1\,6}$ 5 | $\overline{3535}\,\overline{6532}$ | $\overline{15}$ $\overline{15}$)

疆。
枪。

‖: 3 $\overline{35}$ $\overline{65}$ | 3 $\overline{35}$ $\overline{65}$ | 3 $\overline{35}$ $\overline{1\dot{2}}$ | 5   – | 3 $\overline{35}$ $\overline{65}$ |

泉水　叮咚，泉水　叮咚，泉水　叮咚　响，　　泉水　叮咚，

渐慢渐弱

3 $\overline{35}$ $\overline{65}$ | $\overline{51}$ 3 $\overline{2}$ | 1   – :‖ $\overline{51}$ 3 $\overline{2}$ | 1   – |

泉水　叮咚，流向　远　方，　　　流向　远　方，

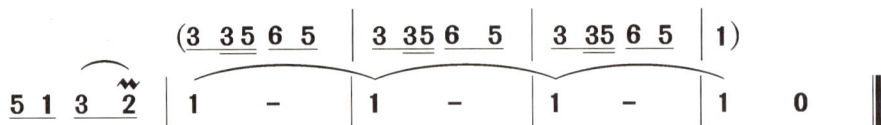

(3 $\overline{35}$ $\overline{65}$ | 3 $\overline{35}$ 5 | 3 $\overline{35}$ $\overline{65}$ | 1)

$\overline{51}$ 3 $\overline{2}$ | 1   – | 1   – | 1   – | 1   0 ‖

流向　远　方。

91. 我家门前清溪流

1=♭E 4/4

♩=38　节奏稍自由　山歌风

王　健　词
章绍同　曲

(〈63〉6·3 1363 13631363 | 〈5i〉6·53 2536 25362536 | 2 － 〈12〉1 － |

♩=76

‖: 6 36 i363 5 3· | 6 36 i363 5 3·) | 3 6 i 3 6 － |

我家 门前 哟
我家 门前 哟

5 67 65 3 － | 3 6 7 6 3 | 2 34 3 21 2 － |

一道 溪 流，　清澈 得看 见　水里的小石 头。
一道 溪 流，　日夜 听着 你　优美的歌 喉。

6 3 5 2 3 － | 3 67 6 5 6 － | 5 6 63 2 2 35 |

五色 杜 鹃，　倒影 如 画，　迤逦 青山 与我
淙淙 潺 潺，　轻轻 悠 悠，　绿色 音符 萦绕 在

1. 6 6ᵛ 2 3 | 6 － － 7 65 | 3 － － 2 3 |

结　伴 走。}杨家 溪，　清溪 流，　清溪
我　心 头。

2 － － 3 21 | 6 － － | 6 i i 3 2 2 6 |

流，　清溪 流，　{像微 风中 波动 的
　　　　　　{像妈 妈的 摇篮 曲

1 2 5 63 － | 6 i i 3 2 21 2 | 6 3· 2· 3 5 |

一匹 绿 绸。　我想 把你 看个 够，　啊，　总 也
天长 地 久。　我想 把你 听个 够，　啊，　总 也

225

水
歌曲

1. <u>6</u>̣ 6̣ (<u>2 3</u> | 6 − − <u>7 65</u> | 3 − − <u>2 3</u> |

看　不够。

2̇ − − <u>3̇ 2̇1̇</u> | 6 − − −) ‖: 1. <u>6</u>̣ 3 − |

　　　　　　　　　　听　不够。

<u>3 6</u> <u>1̇ 6</u> 1̇ − | <u>6 2̇ 2̇</u> − <u>2̇ 1̇ 6</u> | 6 − − − |

我家门前哟　一道　溪　流，

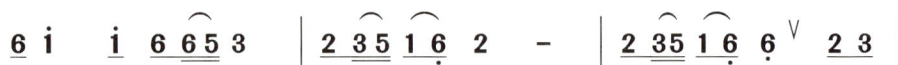

<u>6 1̇</u> <u>1̇ 6</u> <u>65</u> 3 | <u>2 35</u> <u>1̇6</u>̣ 2 − | <u>2 35</u> <u>1̇6</u>̣ <u>6</u>̣ ᵛ <u>23</u> |

是谁 在岁月里 把你酿　就，　把你酿　就？杨家

6 − − <u>7 65</u> | 3 − − <u>2 3</u> | 2̇ − − ᵛ 2̇ |

溪，　清溪　流，　　清溪　流，　　清

3 − − <u>3̇ 2̇1̇</u> | 6 − − − | <u>6 1̇</u> <u>1̇ 3</u> <u>2 2</u> <u>6</u>̣ |

溪　　　　流。　　　　　一池 甜甜 醇醇

<u>1 2</u> <u>5 6</u> 3 − | <u>6 1̇</u> <u>1̇ 3</u> <u>2 2</u> <u>1 2</u> | <u>6</u>̣ 3. 2. <u>3 5</u> |

绿　色的酒，　我想 把你喝个　够，啊，　总也

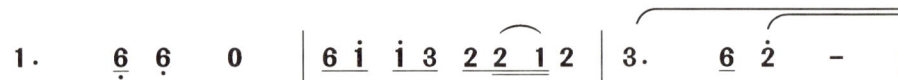

1. <u>6</u>̣ 6̣ 0 | <u>6 1̇</u> <u>1̇ 3</u> <u>2 2</u> <u>1 2</u> | 3. <u>6</u>̣ 2̇ − |

喝　不够。　　我想 把你喝个　够，啊，

⌒ 渐慢

2̇ − 3. 2̇ | 1̇ − 6 − | 6 − − − ‖

　　总　也喝　　不　　够。

水文化教育丛书

226

92. 十八弯水路到我家

1=♭B 2/4

中速　喜悦地

梁国华 词
徐沛东 曲

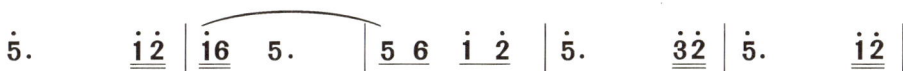

1.哥你把船
2.哥你用船

儿　　向西　划，　　　　　十八弯的水路　到我　的
接　　我出　嫁，　　　　　十八弯的水路　到你　的

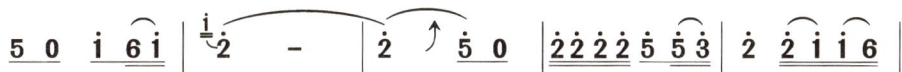

家　　呦！　　　　　哥你在船　头唱渔　歌
家　　呦！　　　　　花船上坐　着你心　上　人

呀！　　　　把那　小船　藏在那　石桥　下
噢！　　　　从今　往后　陪伴你　度春　夏

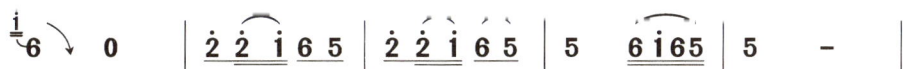

呀。　　　　听你的歌我　跳窗　外，　咱到那桥洞里　去说话。
呀。　　　　朝迎荷花　一船香，　晚看明月　天上挂。

227

$\widehat{5}$ $\widehat{3\,2\,5\,3\,2}$ | $\widehat{5\,3}$ $\widehat{3\,2\,1}$ | $5\,5\,5\,5\,\widehat{6\,1}$ | $\widehat{1}$ $\overset{\frown}{2}$ - | 2 $\overset{\uparrow}{5}$ 0 |

听你的歌我　跳 窗 外，　咱到那桥　　洞　　　　里
朝迎 荷花　一 船 香，　晚看明　　月

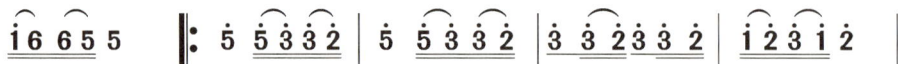

$\widehat{1\,6}$ $\widehat{6\,5\,5}$ ‖: $\widehat{5}$ $\widehat{5\,3\,3\,2}$ | 5 $\widehat{5\,3\,3\,2}$ | $3\,3\,\widehat{2\,3\,3\,2}$ | $\widehat{1\,2}$ $\widehat{3\,1\,2}$ |

去 说 话。　　哟哟 喂，　哟哟 喂，　你别 惹我的 黄 狗 叫，
天 上 挂。　　哟哟 喂，　哟哟 喂，　一辈子跟定你 打 鱼的哥，

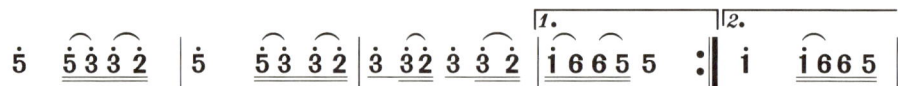

$\overset{\frown}{5}$ $\widehat{5\,3\,3\,2}$ | $\overset{\frown}{5}$ $\widehat{5\,3\,3\,2}$ | $3\,3\,\widehat{2\,3\,3\,2}$ | $\overset{\ulcorner 1.}{\widehat{1\,6}\,\widehat{6\,5\,5}}$:‖ $\overset{\ulcorner 2.}{1}$ $\widehat{1\,6\,6\,5}$ |

哟哟 喂，　哟哟 喂，　更别 碰上　我 的 妈，　我 的 那个
哟哟 喂，　哟哟 喂，　火里 水里　咱 不 怕，　咱 不

5 $\dot{2}\,\dot{2}$ | $\overset{\frown}{5}$ - | $\overset{\frown}{5}$ $(5\,6\,\dot{1}\,\dot{2}$ | 5 $\widehat{5\,3\,3\,2}$ | 5 $\widehat{5\,3\,3\,2}$ | $\dot{1}$ - $)$ ‖

妈，　我 的 妈　　呀！
怕，　咱 不 怕　　呀！

D.S.

93. 三十里名山二十里水

（山 曲）

山 西 河 曲
汉　　族

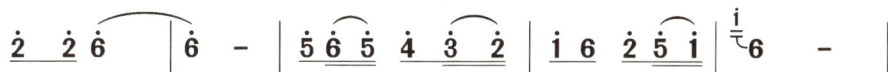

1=♭B　2/4

自由地

2̇ 2̇ 6̇ | 6̇ - | 5̇6̇5̇ 4̇3̇2̇ | 1̇6̇ 2̇5̇1̇ | ꜜ1̇꜒6̇ - |

1. 不 大大　　小青　马马　踢拉 拉拉　走，
2. 三 十里　　名山（那个）二十里　水，

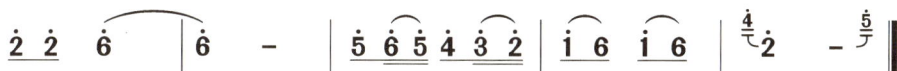

2̇ 2̇ 6̇ | 6̇ - | 5̇6̇5̇4̇3̇2̇ | 1̇6̇ 1̇6̇ | 4꜒2̇ - 5꜒5̇ |

真 魂魄　　跟在 哥哥　马 后　头。
五 十里　　路 途来　眊 妹　妹。

94. 前门情思——大碗茶

阎 肃 词
姚 明 曲

1=♭B 4/4

♩=70

(1.11 2 15 65 1.11 2 15 65 | 1.11 2 15 65 1.11 2 15 65 |

1̇ 5 6̇ 1̇ 1̇ 2̇ 1̇ | 3̇ — — — |

‖: 5̇. 6̇5 3̇. 2̇ 1̇ 2̇ 1̇ 5 | 6 — — 0 1̇ 2̇ |

3̇ — 3̇. 5̇ 6̇ | 3̇.2̇ 1̇ 3̇ 2̇ 1̇ 6 5 3̇.2̇ 1̇ 3̇ 2̇ 1̇ 6 5 |

1 1 0 3 2 1 2 3 5 5 5 65 | 1.2 3 5 2 1 65 1.3 2 1 65 1̇) |

0 5 1̇ 6 5 5̇4̇ 5̇. 1̇ 6 5 5 3̇ | 0 1 2 3 2 3 5 5 2 1 7̇ 1 |

1.我 爷 爷 小 的 时 候， 常 在 这 里 玩 耍。
2.如 今 我 海 外 归 来， 又 见 红 墙 绿 瓦。

(0 5 3 6 5 3 2 1.2 3 5 2 1 65 | 1) 1̇ 1̇ 6̇. 5̇ 1̇ 1̇ 1̇ |

高 高 的 前 门，
高 高 的 前 门，

0 3 5 1̇ 6 5 0 2 3 5 5̇ | (5̇.6̇ 7̇2̇ 6̇5̇3̇2̇ 5̇.5̇ 5̇6̇ 3̇2̇5̇) |

仿 佛 挨 着 我 的 家。
几 回 梦 里 想 着 它。

3̇.2̇ 3̇ 0 3 2 1 7̇ 1 2 0 5 1̇ | 1̇ 6 5 5̇ 3̇. (2 3.5 6 1̇ 5 2 3 4 |

一 蓬 衰 草， 几 声 蛐 蛐 儿 叫，
岁 月 风 雨， 无 情 任 吹 打，

3) i i 3 2 2 2 3 2 i | 7 i | 0 5 i 6 5 5 i | i 2 3 |

伴 随 他 度 过 了 那 灰 色 的 年 华。
却 见 它 更 显 得 那 英 姿 挺 拔。

2. (3 5 i 6 5 4 3 2. 3 i 3 2 i 2) | 0 6 6 5 i 7 i | i i 6 |

吃 一 串 儿 冰 糖 葫 芦，
叫 一 声 杏 仁 儿 豆 腐，

0 6 5 6 i | 0 3 5 6 | 0 2 3 3 2 5 5 | 0 3 2 |

就 算 过 节， 他 一 日 那 三 餐， 窝 头
京 味 儿 真 美， 我 带 着 那 童 心， 带 着

5 2 i i. 2 3 5 2 i 7 7 i 2 | i. (2 3 5 2 i 6 5 i. 2 3 5 6 3 5 6) |

咸 菜 么 就 着 一 口 大 碗 儿 茶。
思 念 么 再 来 一 口 大 碗 儿 茶。

i. 2 i 3 3. 2 | i 2 i i 6 5 0 0 |

啦 啦 啦 啦 啦 啦 啦 啦 啦 啦 啦

i. 2 i 3 3. 2 | i 2 i i 6 5 0 0 |

啦 啦 啦 啦 啦 啦 啦 啦 啦 啦 啦

3 3 2 3 5 5 6 5 6 i 3 5. | 1 1 2 3 5 i 6 5 6 |

世 上 的 饮 料 有 千 百 种， 也 许 它 最 廉 价。

0 5 6 5 5 0 6 i i | 0 i i i 2 3 3 2 i. |

可 谁 知 道 谁 知 道 谁 知 道 它 醇 厚 的 香
可 为 什 么 为 什 么 为 什 么 它 醇 厚 的 香

231

水

歌曲

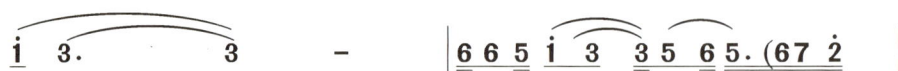

味 儿，　　　　饱含着泪　花。
味 儿，　　　　直传到天　涯，

　　　　　它饱含　着　泪　　　花。
　　　　　它直传　到

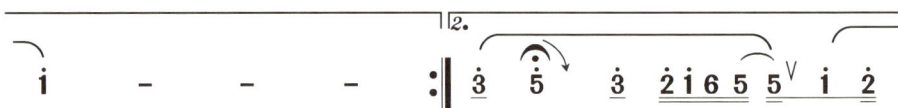

　　　　　　　天　　　　涯。

95. 在那水天相连的地方

1=F 2/4

夏英模 词
刘诗召 曲

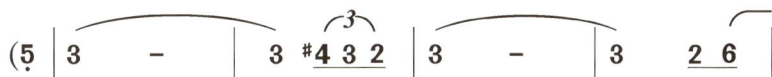

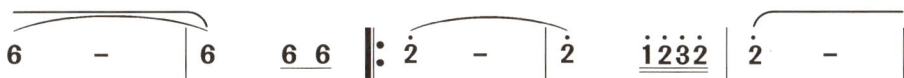

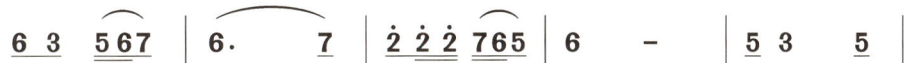

中速 深情地

```
(5̣  3  -  | 3  #4̲3̲2̲ | 3  -  | 3  2̲6̲ |
 6  -  | 6  6̲6̲ ‖: 2̇  -  | 2̇  1̲̇2̲3̲2̲̇ | 2̇  -  |
 2̇  6̲6̲ | 2̇  -  | 2̇  7̲6̲7̲5̲ | 6  -  | 6  3̲5̲ |
 6  -  | 0̲ 6̲ 1̲ 2̲ | 3  2̲3̲ | 6̣  -  | 6̣̲ 2̲ 3̲ 5̲ )
```

```
6̲ 3̲  5̲6̲7̲ | 6.  7 | 2̲̇ 2̲̇ 2̲̇ 7̲6̲5̲ | 6  -  | 5̲ 3̲  5 |
```
在 那 水 天　　相连的地　方，　　有一 个

```
6̲ 7̲6̲ 6 | 5̲ 3̲2̲ 1̲2̲3̲ | 2  -  | 5̲ 5̲  2 | 2̲3̲ 3̲2̲1̲ |
```
哨 所　漂在那海　上。　　浪花　簇拥着
哨 所　漂在那海　上。　　一群　青　春

```
2̲ 2̲  6̣ | 1̲2̲ 1̲2̲3̲ | 0̲ 5̲ 3̲5̲ | 6̲ 7̲6̲ 6 | 1̇ 1̇  7 |
```
银色 的 礁 盘，　礁盘上 屹立　士兵 和
年少 的 士 兵，　礁盘上 建起　阳光

```
6̲ 0̲1̲̇ 7̲6̲5̲ | 6ⱽ  6̲6̲ | 2̇  -  | 2̇  1̲̇2̲3̲2̲̇ | 2̇  -  |
```
钢　　枪。好战　友，　好战　友，
天　　堂。好战　友，　好战　友，

233

水

歌曲

好战友，　　　好战友，
好战友，　　　好战友，

你独自天涯伴明月，　你默默无语
你含辛茹苦也坚强，　你无怨无悔

迎曙光。　是你守卫着美丽的南
多高尚。　南沙是祖国胸前的项

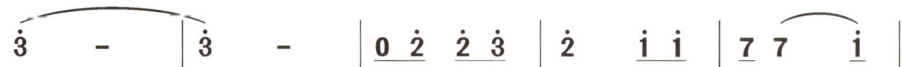

沙，　　　我怎能不为你真诚
链，　　　你就是蓝宝石闪闪

把歌唱！　　　　　芒。
放光

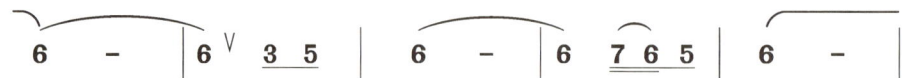

哎啰哎，　哎啰哎，

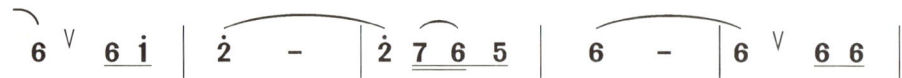

哎啰哎，　哎啰哎，　你就

是　蓝宝石闪闪

234

| $\dot 3$ | - | $\dot 3^{\vee}$ | $\underline{1\ 2}\ \underline{3\ 2}$ | $\dot 1^{\vee}\ \underline{7\ 6}\ \underline{7\ 5}$ | 5 | - | 6 | - |

放　光　　芒,放　光　　　　芒。

| 6 | - | 6 | - | 6 | - | 6 | - | 6 |

96. 伏尔加河船夫曲

俄 罗 斯 民 歌
佚 名 译配

1＝D 4/4
稍慢
极弱

哎 哟 嗬， 哎 哟 嗬， 齐 心 合 力 把 纤 拉！

哎 哟 嗬， 哎 哟 嗬， 拉 完 一 把 又 一 把！

弱

穿 过 茂 密 的 白 桦 林， 踏 开 世 界 的 不 平 路！

中强

哎 嗒嗒 哎嗒， 哎 嗒嗒 哎嗒， 穿 过 茂 密的 白 桦 林，

踏 开 世 界的 不 平 路！

哎 哟 嗬， 哎 哟 嗬， 齐 心 合 力 把 纤 拉。

我 们 沿 着 伏尔加 河， 对 着 太 阳 唱 起 歌。

哎 嗒嗒 哎嗒， 哎 嗒嗒 哎嗒， 对 着 太 阳 唱 起 歌。

很强

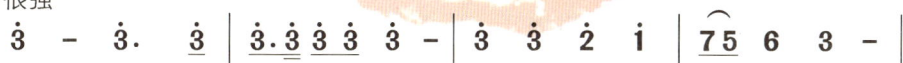

哎， 哎， 努 力 把 纤 绳 拉， 对 着 太 阳 唱 起 歌。

哎 哟 嗬， 哎 哟 嗬， 齐 心 合 力 把 纤 拉！

伏尔加，可 爱 的 母 亲 河， 河 水 滔 滔 深 又 阔，

哎 嗒嗒 哎 嗒， 哎 嗒嗒 哎 嗒，河 水 滔 滔 深 又 阔。

中强

伏尔加，伏尔 加，母 亲 河。

弱

哎 哟 嗬， 哎 哟 嗬， 齐 心 合 力 把 纤 拉！

很弱

哎 哟 嗬， 哎 哟 嗬， 拉 完 一 把 又 一 把！

极弱 渐慢

哎 哟 嗬， 哎 哟 嗬， 哎 哟 嗬！

97. 老 人 河

[美国] 克尔恩　曲
邓映易　译配

1=♭E 2/2

中速

5 4 3 3 5 4 | 3 5 6 i | 5 4 3 3 5 4 | 3 1 2 - |

黑人劳动在密西 西比 河上，黑人劳动，白人 来享 乐。

变慢

3 2 1 1 3 2 | 1 1 2 4 | 3 2 1 1 3 2 | 1 2 1 - |

黑人工作到死 不得 休息，从早推船直到 太阳 落。

7 5 6. i | 7 5 6. i | 7 5 6. i | 7 5 6 - |

白人工 头多凶恶，切 莫乱 动 招灾祸。

渐慢

5 3 #4. 6 | 5 3 #4. 6 | 5 3 #4. 6 | 5 3 4 - |

弯下腰， 低下头，我 拉起纤 绳把 船拖。

弱 原速

5 4 3 3 5 4 | 3 5 6 i | 5 4 3 3 5 4 | 3 4 2 - |

让我快 快离开 白人 工 头，快快离 开密西 西比 河。

4 3 2 2 4 3 | 2 2 3 5 | 4 3 2 2 4 3 | 2 3 1 - |

请你告 诉我 那个 地方，我要渡过古老的 约 旦 河。

1 0 0 0 ‖: 5̣ 5̣ 6̣ 1 6̣ | 5̣ 5̣ 6̣ 1 2 | 3 3 2 1 2 |

老 人 河 啊，老人河! 你 知道 一切，但

总是 沉默，你 滚滚 奔流，你 总是不停地流 过。

他 不种 番薯，也 不 种 棉花，那 耕种 的人 早

被人 遗忘，但 老人 河呀，却总 是不停地流 过。

中强 转快

我们 流血 又流 汗， 浑 身酸 痛

弱 渐慢

受折 磨。 为了 免得 坐监 牢， 还要 拉船

扛包 裹。 我不哭泣， 信念坚定，我 永不 停止那

强

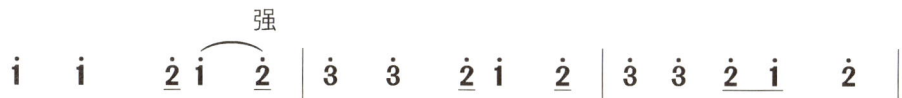

斗争的 生活。 老人 河呀，你 总是 不停地流

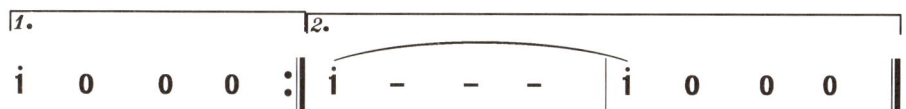

过。 过。

98. 梭 罗 河

印度尼西亚民歌
陈 琪 译词
何少平 林维 配歌

1=C 4/4

中速 抒情地

```
0  55 6.3 | 5 - - - | 0 1 23 2.1 | 3 - - - |
```

1.美丽的梭罗河,　　　我为你歌　唱!
2.你的历　史　　　就是　一只　船,

```
0 5 3 5. 3 | 2. 7 5. 6 | 7 3 5 4. 5 | 3 - - - |
```

你的光荣历　史,我永远记在心上。
商人们乘船远航,在

```
0 55 6.  3 | 5 - - - | 0 1 23 2.  1 |
```

旱季来　临,　　　你轻轻流

```
3 - - - | 0 5 3 5. 3 | 2. 7 5. 6 |
```

淌;　　　雨季时波涛滚滚,你

```
7 3 5 4. 3 | 1 - - - | 0 1 1 1 1 26 |
```

（4. 2）

流向远方。　　　你的源泉是来自

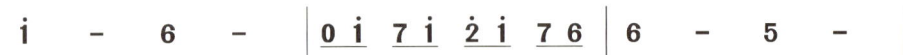

```
1 - 6 - | 0 1 7 1 2 1 76 | 6 - 5 - |
```

梭罗,　　万重山送你一路前往,

$$0\ \dot2\ \dot2\ \dot2\ |\ \dot2\ \dot2\ \dot3\ \dot1\ |\ \dot2\ -\ 6\ -\ |\ 0\ 6\ 7\ \dot1\ \dot3.\ \overset{(\sharp\dot2)}{\dot1}\ |$$

滚 滚 的 波涛 流 向　远　　方，　　　　一 直 流入　海

结束句

$$\dot2\ -\ -\ -\ :\|\ 7\ \dot3\ \underline{5}\ 4.\ 3\ |\ \dot1\ -\ -\ -\ \|$$

洋。　　　　　　美丽　的 河　面　上。

99. 尼罗河畔的歌声

1=♭A 2/4

优美、欢乐地

埃 及 民 歌
朱宝勇 改编

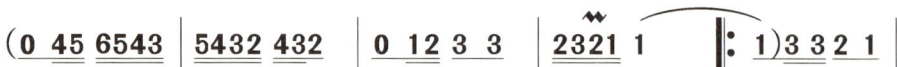

(0 45 6543 | 5432 432 | 0 12 3 3 | 2321 1 ‖: 1)3 32 1 |

1.太阳刚刚
2.月亮挂在

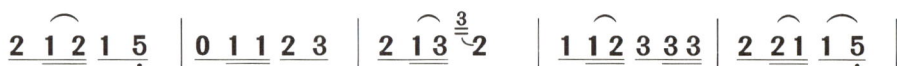

2 121 5 | 0 11 23 | 2 13 3/2 | 112 333 | 2 21 15 |

爬上 山冈，　　尼罗河水　闪金 光。　家乡 美丽的　土地 上，
碧蓝的天空，　　尼罗河水　在荡 漾。　晚风 吹拂的　椰树 下，

5 555 33 | 2321 1(234 | 5 5 3 3 | 2321 1 | 1)34 5 34 |

劳 动的 人们　在 歌 唱。　　　　　　　　　　忘掉 你的
劳 动的 人们　在 歌 唱。　　　　　　　　　　吹起 你那

5 34 5 1 | 06 6 6554 | 454 34 5 | 5 456 6543 | 5432 432 |

忧 愁和 悲 伤，唱出美 好的 希　　望。用 劳 动的 汗 水和歌 声
动人 的 阿拉戈，再把铃 鼓 摇　　响。让 一 天的 劳 动和辛 苦

0 12 3 3 | 2321 1 | 1' 3 4 534 | 5 34 5 1 | 0 6 6 554 |

迎接 丰收的　好 时 光。　啊！　　　　　　啊！
随着 歌声　遗 忘。　啊！　　　　　　　啊！

1.

4334 5 | 545 6543 | 5432 432 | 0 12 333 | 2321 1 |

用 劳动的 汗 水和歌 声，迎接 丰收的　好 时光。
让 一 天的 劳 动和辛 苦，

(0 4 5 6543 | 5432 432 | 0 12 3 3 | 2321 1 ‖ 2. 0 1 2 3 33 |

随着歌声

中强 _____ 弱

2 321 1 | 1 V 5 5443 | 3221 1 | 1 V 5 5443 | 3221 1 |

遗 忘。 啊！ 啊！

很弱

1 — | 1 — | 1 — | 1 — ‖

100. 冥河的水神
——阿尔切斯特的咏叹调
歌剧《阿尔切斯特》选曲

[法国]卡尔 · 查比吉 词
[德国]格 鲁 克 曲
赵庆闰 李维勃 译

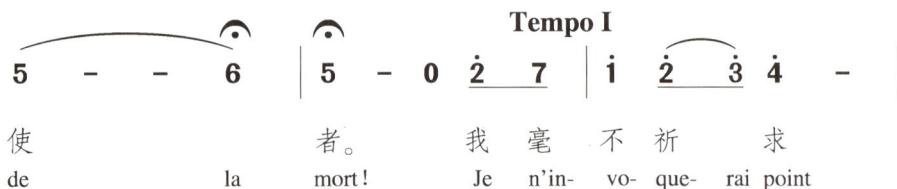

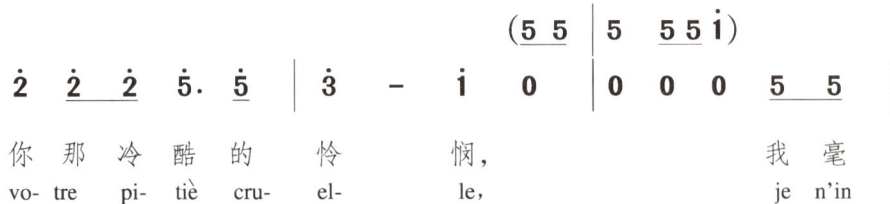

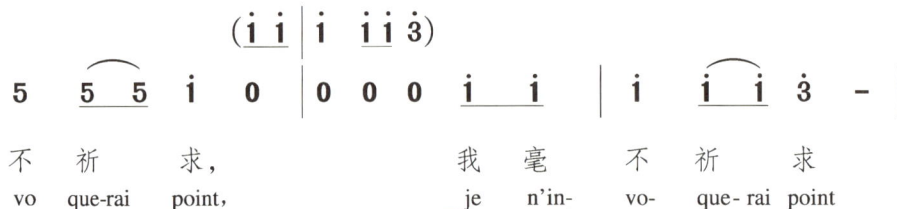

1=♭B 4/4
行板

```
0 5 5 5 5. 5 | 1̇ - - - ‖ 0 7 7 7 7. 2̇ |
冥河里的 水  神,        冥河里 的水
Di- vi- ni- té s du Styx,  di- vi- ni- te's du
```

```
(3̇ 3̇  0 1̇  0 6)  p    Adagio
4̇ - - - | 0 0 0 #4 | 5 - - 5 |
神,          死  亡  的
Styx,        mi-  nis-  tres
```

Tempo I

```
5 - - 6 | 5 - 0 2̇ 7 | 1̇ 2̇ 3̇ 4̇ - |
使      者。  我 毫 不 祈  求
de      la mort! Je n'in- vo- que- rai point
```

```
          (5 5 | 5 5 5 1̇)
2̇ 2̇ 2̇ 5̇. 5̇ | 3̇ - 1̇ 0 | 0 0 0 5 5 |
你 那 冷 酷 的 怜   悯,        我 毫
vo- tre pi- tiè cru- el- le,       je n'in
```

```
          (1̇ 1̇ | 1̇ 1̇ 3̇)
5 5 5 1̇ 0 | 0 0 0 1̇ 1̇ | 1̇ 1̇ 1̇ 3̇ - |
不 祈 求,         我 毫 不 祈 求
vo que-rai point,      je n'in- vo- que- rai point
```

$\dot4$ $\dot5$ $\dot6$ $\dot5$. $\dot5$ | $\dot{\dot1}$ − − − $\dot5$ − 0 0 |

你 那 冷 酷 的 怜 悯。
vo- tre pi- tiè cru- el − − − le.

$\dot4$ $\dot5$ $\dot6$ $\dot5$. $\underline{7}$ | $\dot{\dot1}$ − $\dot{\dot1}$ 0 |

你 那 冷 酷 的 怜 悯。
vo- tre pi- tiè cru- el- le.

P **Un poco Andante**

0 0 0 $\dot3$ $\dot4$ | $\dot3$ $\dot2$ #$\dot4$ $\dot5$ $\dot4$ $\dot3$ $\dot2$ $\dot{\dot1}$ − − − |

他 的 悲 惨 遭 遇，
J'en- le- ve un ten- dre é- poux

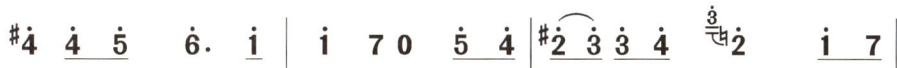

#$\dot4$ $\dot4$ $\dot5$ $\dot6$. $\dot{\dot1}$ | $\dot{\dot1}$ $\dot7$ 0 $\dot5$ $\dot4$ | #$\dot2$ $\dot3$ $\dot3$ $\dot4$ $\dot2$ $\dot{\dot1}$ $\dot7$ |

使 我 失 去 了 丈 夫， 让 我 的 青 春 伴 随 着
à son fu- nes- te sort, mais je vous a- ban- don- ne une- é-

$\dot7$ $\dot{\dot1}$ $\dot{\dot1}$ 0 $\dot{\dot2}$ $\dot{\dot1}$ | $\dot{\dot1}$ $\dot7$ $\dot7$ $\dot{\dot1}$ $\dot{\dot2}$ $\dot{\dot2}$ 0 $\dot{\dot2}$ #$\dot{\dot1}$ $\dot5$ − |

你 去， 让 我 的 青 春 伴 随 着 你 去，
pou- se, mais je vous a- ban- don- ne une è- pou-

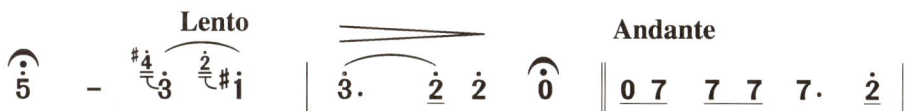

Lento _____ **Andante**

$\dot5$ − #$\dot4$ $\dot3$ #$\dot{\dot1}$ | $\dot3$. $\dot2$ $\dot2$ 0 | 0 7 7 7 7. $\dot2$ |

伴 随 你 去。 冥 河 里 的 水
se fi- dè- le. Di- vi- ni- tés du

245

水
歌曲

5 - - - | 0 #4 4 4 6. 4 | i - - - |

神， 冥 河 里 的 水 神，
Styx， di- vi- ni- tes du Styx，

Lento

0 0 0 5 | 2 - - 2 | 2 - - 3 |

死 亡 的 使
mi- nis- tres de la

Andante espressivo

2 - 0 2 ‖ 2 i i 7. i | 7 6 5 0 2 3 3 |

者！ 为 所 爱 的 人 去 死， 我 非 常
mort！ Mou- rir pour ce qu'on ai- me， pour ce qu'on

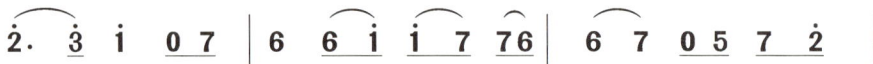

2. 3 i 0 7 | 6 6 i i 7 76 | 6 7 0 5 7 2 |

愉 快， 使 我 非 常 愉 快。 纯 贞 的
ai- me， est un trop doux ef- fort， u- ne ver-

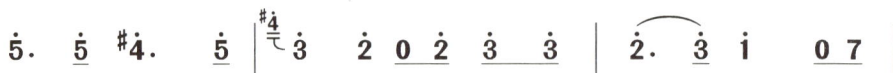

5. 5 #4. 5 | #4 3 2 0 2 3 3 | 2. 3 i 0 7 |

爱 情 鼓 舞 着 我， 给 予 我 勇 气， 也
tu si na- tu- rel- le， si na- tu- rel- - le！ Mon

3. 3 3 #4 | 5 7 7 2 5 | 5 7 7 2 2 7 6 #4 |

给 予 我 力 量。 爱 情 带 给 我 力 量 和 勇
coeur est a- ni- mé！ du plus no- ble， du plus no- ble trans-

246

Presto

$(7\ \dot2\dot2\ 7\ \dot2\dot2\ |\ \dot5)$

$\dfrac{2}{4}$ 5 0 | 0 0 | 0 0 5 | 6 5 6 7 | $\dot1$ 7 $\dot1$ $\dot2$ |

气。　　　　　　　　崇　高　的　激　情　鼓　舞

port.　　　　　　　　Je　sens　u- ne　for - ce nou-

7　5 0 | (7 $\dot2\dot2$ | $\dot5$ 0)5 | 6 5 6 7 | $\dot1$ 7 $\dot1$ $\dot2$ |

着　我，　　　　　　我　感　到　一　种　新　的

vel- le,　　　　　　je　vais où mon a-　mour - m'ap-

7　5 0 | ($\dot4$ $\dot7\dot7$ | $\dot1$ 0)$\dot1$ | $\dot2$ $\dot1$ $\dot2$ $\dot3$ | $\dot4$ $\dot3$ $\dot4$ $\dot5$ |

力　量。　　　　　　崇　高　的　激　情　鼓　舞

pel- le.　　　　　　je　sens u- ne　for - ce nou-

$\dot3$　$\dot1$ 0 | ($\dot3$ $\dot5\dot5$ 0 | 0 $\dot1$ | $\dot2$ $\dot1$ $\dot2$ $\dot3$ | $\dot4$ $\dot3$ $\dot4$ $\dot5$ |

着　我，　　　　　　我　感　到　一　种　新　的

vel- le,　　　　　　je　vais, où mon a-　mour　m'ap-

$\dot3$　$\dot1$ 0 | 0 $\dot3$ | $\dot5$　－ | $\dot5$ ♭7 7 $\dot1$ | 6　－ |

力　量。　我　要　　　去　到　那　里，

pe- le:　mon　coeur＿＿＿＿　est a- ni- mé

0　$\dot6$ $\dot6$ | $\dot6$　－ | $\dot1$ $\dot6$ #4 $\dot1$ | 7　$\dot0$ ‖

爱　人　招　　手　的　地　方。

du　plus　no　　ble trans- port.

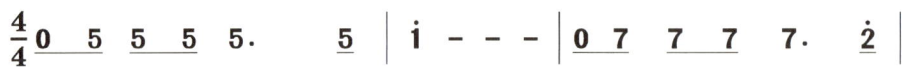

冥河里的 水神， 冥河里的 水

Di- vi- ni- tés du Styx, di- vi- ni- tés du

Adagio

神， 死 亡 的

Styx, mi nis - trés

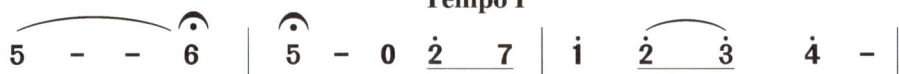

Tempo I

使 者！ 我 毫 不 祈 求

de la mort! Je n'in- vo- que- rai point

你 那 冷 酷 的 怜 悯。 我 毫

vo- tre pi- tiè cru- el le je n'in-

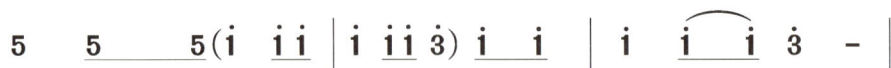

不 祈 求， 我 毫 不 祈 求

vo- que- rai point, je n'in vo- que- rai point

你 那 冷 酷 的 怜 悯。

vo- tre pi- tiè cru- el el,

你 那 冷 酷 的 怜 悯。

vo tre pi- tiè cru el - le.

248

「后记」

　　为了弘扬中国传统文化，挖掘发展中华水文化，河海大学结合自身的办学特色，在开展水文化研究的基础上，组织编写了《水文化教育丛书》。丛书的根本要旨，在于通过水文化知识的普及和教育，提高人们对水的战略地位的认识，以带动全社会水意识的觉醒和提升；教育人们树立科学发展的水利观，以增强对水的忧患意识；培养人们爱水、节水、护水、亲水的情怀，以养成良好的水文化行为习惯；帮助人们提升水利工程建设中的文化自觉性，以确立人水和谐的科学发展理念。

　　《丛书》分为 10 个分册，分别为：《100 条江河湖泊》，主编：吴胜兴，副主编：顾圣平、贺军；《100 座城市与水》，主编：郑大俊，副主编：刘兴平、钱恂熊；《100 项水工程》，主编：吴胜兴，副主编：沈长松、孙学智；《100 例水灾害》，主编：颜素珍，副主编：唐德善、汤鸣鸿；《100 位水利名人》，主编：王如高，副主编：刘春田、陈家洋；《100 首水歌曲》，主编：蔡正林，副主编：刘兴平、沈俐；《100 种水用具》，主编：王培君，副主编：戴玉珍、贺杨夏子；《100 处水景观》，主编：蒲晓东，副主编：张彦德、潘云涛；《100 篇咏水诗文》，主编：尉天骄，副主编：林一顺；《100 个水传说》，主编：张建民，副主编：莫小曼、郑如鑫。

　　《丛书》封面上"水文化"三个字由水利部原副部长敬正书同志题写。在《丛书》的编写过程中，为了充分反映不同时期有关水文化的经典之作，各分册的编写人员通过多种途径，参阅和收集了大量的文献资料。这些文献资料对于进一步传播、发展和弘扬水文化，进一步提升人们的水文化素养具有重要价值。在此，我们对这些文献资料的奉献者表示衷心的感谢。

　　与此同时，我们还要说明的是，《丛书》各分册选列的是主要参考文献，未能详尽所有文献，在选引中也会有遗漏不全之处，亦敬请各位作者谅解。